JN040970

厳選

イタリア語

日常単語

語研編集部 編

『厳選 イタリア語日常単語』は，日常生活で頻繁に使われるイタリア語を学ぶための単語集です。イタリア語でのコミュニケーションに必要不可欠な1,000語を，名詞を中心に厳選して収録しました。はじめてイタリア語に触れる方，語彙を増やしたい初〜中級の方に最適な一冊となっています。

イタリア語は，古代ローマ帝国で用いられたラテン語から発展した，ロマンス諸語のひとつに分類されます。現在イタリア語を公用語としている国・地域は限定的ですが，ヨーロッパの文化やその歴史を語るうえでイタリアの存在は大きいものです。日本にいる私たちも，音楽，美術，料理，ファッション，宗教，世界遺産など様々な分野でイタリア文化に触れ，イタリア語を自然と耳にしていたことに気づくことでしょう。イタリア語は「ローマ字」に慣れた日本人にとって，比較的発音しやすく親しみやすい言語と言われますが，日本語にはない音や抑揚もあります。本書に付属する無料音声でイタリア語の音楽的で美しい音の響きを感じつつ，楽しみながら学習を進めていくことをおすすめします。

単語学習は反復と継続が重要です。1日1ページずつでもかまわないので，少しずつ，何度も繰り返すことを心がけてください。新しい単語を覚えたら，積極的に使ってみるよう意識しましょう。

語学学習は学びたいと感じた時がチャンスです。この単語集が，みなさんの新たな世界を広げ，異文化理解を深めるのに役立つことを願っています。

1. 左ページに日本語，右ページにイタリア語を記載。

日本語，イタリア語のどちらからでも覚えられるように，見開きの構成となっています。自分にあった方法で単語学習を進めてみてください。

2. 日本語の横には英語を提示。

ヨーロッパの言語は同じ語源から派生した単語も多いため，英語の助けを借りることで，単語学習がスムーズに進みます。

3. イタリア語にはカタカナで発音を記載。

単語学習のはじめの段階に，読み方の確認の足がかりとしてお役立てください。

4. 無料の付属音声で正確なイタリア語の発音をチェック。

イタリア語には日本語にない音があるので，カタカナだけでは正確に発音を表すことができません。学習効果を高めるために，付属の音声を活用して，ネイティブスピーカーの発音を耳から確認する習慣をつけましょう。

5. 達成度・進捗度をページごとに確認。

各見開きの右上には，覚えた単語数を書き込むスペースを3回分用意しました。また，進捗度をパーセンテージで把握できるようになっています。

音声について（音声無料ダウンロード）

本書の付属音声は無料でダウンロードすることができます。下記の URL または QR コードより本書紹介ページの【無料音声ダウンロード】にアクセスしてご利用ください。

https://www.goken-net.co.jp/catalog/card.html?isbn=978-4-87615-441-8

各見開きの左上に記載された QR コードを読み取ると，その見開き分の音声（10 単語分）をまとめて聴くことができます。

注意

◆ ダウンロードで提供する音声は，複数のファイルを ZIP 形式で 1 ファイルにまとめています。ダウンロード後に復元（解凍）してご利用ください。ZIP 形式に対応した復元アプリを必要とする場合があります。

◆ 音声ファイルは MP3 形式です。モバイル端末，パソコンともに，MP3 ファイルを再生可能なアプリ，ソフトを利用して聞くことができます。

◆ インターネット環境によってダウンロードできない場合や，ご使用の機器によって再生できない場合があります。

◆ 本書の音声ファイルは，一般家庭での私的使用の範囲内で使用する目的で頒布するものです。それ以外の目的で複製，改変，放送，送信などを行いたい場合には，著作権法の定めにより著作権者等に申し出て事前に許諾を受ける必要があります。

0001 ☐	今日	today

0002 ☐	明日	tomorrow

0003 ☐	明後日	the day after tomorrow

0004 ☐	昨日	yesterday

0005 ☐	一昨日	the day before yesterday

◆ ieri l'altro とも言う。

0006 ☐	日，一日，日中	day

◆ giornata は24時間の1日というより朝から晩までなど活動単位の1日を示すことが多い。

0007 ☐	週	week

0008 ☐	月	month

◆月と曜日の表現は p.206 ～ 207 を参照。

0009 ☐	年	year

◆「歳《年齢》」を言うときにも使う。

0010 ☐	世紀	century

副・男	**oggi**
	オッジ

副・男	**domani**
	ドマーニ

副・男	**dopodomani**
	ドポドマーニ

副・男	**ieri**
	イエーリ

副・男	**l'altro ieri**
	ラルトロ イエーリ

男, 女	**giorno, giornata**
	ジョルノ, ジョルナータ

女	**settimana**
	セッティマーナ

男	**mese**
	メーゼ

男	**anno**
	アンノ

男	**secolo**
	セーコロ

0011 ☐	時間	time

◆「天気」という意味でも使う。

0012 ☐	秒	second

◆形容詞で「第2の, 2番目の」という意味でも使う。

0013 ☐	分	minute

0014 ☐	～時間，～時，時刻	hour

◆「時刻表，時間割」は orario [男] オラーリオ。

0015 ☐	今	now

0016 ☐	朝，午前	morning, AM

0017 ☐	午後	afternoon, PM

0018 ☐	正午	noon

◆mezzo [男・形] は「半分(の)」。(「半分」はほかに metà [女無変] メターも使う。)

0019 ☐	真夜中，午前 0 時	midnight

0020 ☐	夜	night

◆日没から夜明けまでを指す。

	年 月 日		年 月 日		年 月 日	
1	/10	2	/10	3	/10	2 %

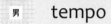

男	**tempo**
	テンポ

男	**secondo**
	セコンド

男	**minuto**
	ミヌート

女	**ora**
	オーラ

副, 副	**ora, adesso**
	オーラ, アデッソ

女	**mattina**
	マッティーナ

男	**pomeriggio**
	ポメリッジョ

男	**mezzogiorno**
	メッゾジョルノ

女	**mezzanotte**
	メッザノッテ

女	**notte**
	ノッテ

0021 ☐	夕方	evening

◆ 日没から就寝までを指す。

0022 ☐	日没，夕焼け	sunset

0023 ☐	カレンダー	calendar

0024 ☐	日付	date

◆「データ」という意味でも使う（この場合〚男〛）。

0025 ☐	誕生日	birthday

◆「生年月日」は data di nascita 〚女〛データ ディ ナッシタ。

0026 ☐	元日	New Year's Day

0027 ☐	クリスマス	Christmas

◆「サンタクロース」は Babbo Natale 〚男〛バッボ ナターレ（babbo 〚男〛は「パパ」の意）。

0028 ☐	復活祭，イースター	Easter

0029 ☐	休日〈祝日，祭日〉	holiday

◆ festa は「祝典，祭典，パーティー，宴会」などという意味でも使う。

0030 ☐	平日	weekday

女	**sera**
	セーラ

男	**tramonto**
	トラモント

男	**calendario**
	カレンダーリォ

女	**data**
	ダータ

男	**compleanno**
	コンプレアンノ

男	**Capodanno**
	カポダンノ

男	**Natale**
	ナターレ

女	**Pasqua**
	パスクァ

男, 女	**giorno festivo, festa**
	ジョルノ フェスティーヴォ, フェスタ

男	**giorno feriale**
	ジョルノ フェリアーレ

0031 ☐	季節	season

◆「四季」は quattro stagioni【女複】クアットロ スタジョーニ。

0032 ☐	春	spring

0033 ☐	夏	summer

0034 ☐	秋	autumn

0035 ☐	冬	winter

0036 ☐	いつも	always

◆「時々」は ogni tanto オニ タント。

0037 ☐	すぐに	at once

◆「まだ」は ancora【副】アンコーラ。「すでに, もう」は già【副】ジャー。

0038 ☐	最近	recently

0039 ☐	未来 (の), 将来 (の)	future

0040 ☐	過去 (の)	past

◆「気晴らし, 娯楽」は passatempo【男】パッサテンポ。

女	**stagione**
	スタジョーネ

女	**primavera**
	プリマヴェーラ

女	**estate**
	エスターテ

男	**autunno**
	アウトゥンノ

男	**inverno**
	インヴェルノ

副	**sempre**
	センプレ

副	**subito**
	スービト

副	**recentemente**
	レチェンテメンテ

男・形	**futuro**
	フトゥーロ

男・形	**passato**
	パッサート

0041 ☐	東	east

◆「東，東方」は oriente【男】オリエンテ。

0042 ☐	西	west

◆「西，西方」は occidente【男】オッチデンテ。

0043 ☐	南	south

0044 ☐	北	north

0045 ☐	上に	up

◆「前に」は davanti【前・副】ダヴァンティ。

0046 ☐	下に	down

◆「後ろに」は dietro【前・副】ディエートロ。

0047 ☐	左	left

◆「左の」は sinistro【形】スィニストロ。「左利きの」は mancino【形】マンチーノ。

0048 ☐	右	right

◆「右の」は destro【形】デストロ。「右利きの」は destrimano【形】デストリーマノ。

0049 ☐	近い，近くに	near

◆「隣人」は vicino／vicina【男／女】ヴィチーノ／ヴィチーナ。

0050 ☐	遠い，遠くに	far

男無変	est
	エストゥ

男無変	ovest
	オーヴェストゥ

男無変	sud
	スッドゥ

男無変	nord
	ノルドゥ

前·副, 前·副	sopra, su
	ソープラ, ス

前·副, 副	sotto, giù
	ソット, ジュー

女	sinistra
	スィニストラ

女	destra
	デストラ

形·副	vicino
	ヴィチーノ

形·副	lontano
	ロンターノ

0051 ☐	気候，風土	climate

0052 ☐	気温，温度，体温	temperature

0053 ☐	天気	weather

◆「時間，テンポ」という意味でも使う。「悪天候」は maltempo 【男】マルテンポ。

0054 ☐	天気予報	weather forecast

◆ previsione 【女】プレヴィズィオーネ は「予測」。

0055 ☐	暑い，熱い	hot

0056 ☐	寒い，冷たい	cold

0057 ☐	晴れた	sunny

◆名詞で「晴天」【男】という意味でも使う。

0058 ☐	くもった	cloudy

◆「雲」は nuvola 【女】ヌーヴォラ。

0059 ☐	雨	rain

0060 ☐	風	wind

男；男複	**clima ; climi**
	クリーマ ； クリーミ

女	**temperatura**
	テンペラトゥーラ

男	**tempo**
	テンポ

男無変, 女複	**meteo, previsioni meteorologiche [del tempo]**
	メーテオ， プレヴィズィオーニ メテオロロージケ [デル テンポ]

形・男	**caldo**
	カルド

形・男	**freddo**
	フレッド

形	**sereno**
	セレーノ

形	**nuvoloso**
	ヌヴォローゾ

女	**pioggia**
	ピオッジャ

男	**vento**
	ヴェント

0061 ☐	雪	snow	

0062 ☐	霧	fog	

0063 ☐	雷	thunder	

0064 ☐	虹	rainbow	

◆ arco [男] は「アーチ,弓」, baleno [男] は「稲妻」。

0065 ☐	空	sky	

0066 ☐	太陽	sun	

◆ 天文学の「太陽」を指すときはしばしば頭文字を大文字にする。

0067 ☐	月	moon	

◆ 天文学の「月」を指すときはしばしば頭文字を大文字にする。

0068 ☐	星	star	

0069 ☐	宇宙	universe	

◆「空間,宇宙空間」は spazio [男] スパーツィオ。

0070 ☐	ロケット	rocket	

◆「ミサイル」という意味でも使う（missile [男] ミッスィレ とも言う）。

女	**neve**
	ネーヴェ

女	**nebbia**
	ネッビア

男	**tuono**
	トゥオーノ

男	**arcobaleno**
	アルコバレーノ

男	**cielo**
	チェーロ

男	**sole**
	ソーレ

女	**luna**
	ルーナ

女	**stella**
	ステッラ

男	**universo**
	ウニヴェルソ

男	**razzo**
	ラッゾ

0071 ☐	空気，大気	air

◆「大気(圏)，雰囲気」は atmosfera 【女】アトモスフェーラ。

0072 ☐	地球	Earth

◆「大地，土地，土」という意味でも使う（この場合小文字）。

0073 ☐	自然	nature

◆「静物画」は natura morta 【女】ナトゥーラ モルタ（morto 【形】は「死んだ」）。

0074 ☐	風景，景色	landscape

0075 ☐	山	mountain

◆「(固有名詞を前に)〜山」は monte 【男】モンテ（例：「富士山」Monte Fuji）。

0076 ☐	川	river

0077 ☐	海	sea

◆「大洋，海洋」は oceano 【男】オチェーアノ。

0078 ☐	海岸	shore

◆「ビーチ，砂浜」は spiaggia 【女】スピアッジャ。

0079 ☐	湖	lake

0080 ☐	池	pond

◆「沼」や，「錫〈すず〉」（単数のみ）の意味でも使う。

女	**aria**
	アーリァ

女	**Terra**
	テッラ

女	**natura**
	ナトゥーラ

男	**paesaggio**
	パエザッジョ

女	**montagna**
	モンタンニャ

男	**fiume**
	フィウーメ

男	**mare**
	マーレ

女	**costa**
	コスタ

男	**lago**
	ラーゴ

男	**stagno**
	スタンニョ

0081 ☐	森林	forest

◆ 規模の小さい森は bosco [男] ボスコ。

| 0082 ☐ | 畑，野原，フィールド | field |

◆「田舎，田園」は campagna [女] カンパンニャ。

| 0083 ☐ | 草 | grass |

| 0084 ☐ | 草原，牧草地 | meadow |

| 0085 ☐ | 丘 | hill |

| 0086 ☐ | 谷 | valley |

| 0087 ☐ | 石 | stone |

◆「岩」は roccia [女] ロッチャ。

| 0088 ☐ | 砂 | sand |

| 0089 ☐ | 砂漠 | desert |

◆「オアシス」は oasi [女無変] オーアズィ。

| 0090 ☐ | 火山 | volcano |

女	**foresta**
	フォレスタ

男	**campo**
	カンポ

女	**erba**
	エルバ

男	**prato**
	プラート

女	**collina**
	コッリーナ

女	**valle**
	ヴァッレ

女	**pietra**
	ピエートラ

女	**sabbia**
	サッビア

男	**deserto**
	デゼルト

男	**vulcano**
	ヴルカーノ

0091 ☐	島	island

0092 ☐	半島	peninsula

0093 ☐	海峡	strait

◆「狭い,（衣服等が）きつい」[形]という意味でも使う。「(広い)海峡, 運河」は canale [男] カナーレ。

0094 ☐	大陸	continent

0095 ☐	植物	plant

◆「地図」という意味でも使う。

0096 ☐	木	tree

0097 ☐	枝	branch

0098 ☐	葉	leaf

0099 ☐	花	flower

0100 ☐	種〈たね〉	seed

女	**isola**
	イーゾラ

女	**penisola**
	ペニーゾラ

男	**stretto**
	ストレット

男	**continente**
	コンティネンテ

女	**pianta**
	ピアンタ

男	**albero**
	アルベロ

男	**ramo**
	ラーモ

女	**foglia**
	フォッリァ

男	**fiore**
	フィオーレ

男	**seme**
	セーメ

0101 ☐	動物	animal

0102 ☐	動物園	zoo

0103 ☐	水族館	aquarium

◆「(家庭の鑑賞用)水槽」という意味でも使う。

0104 ☐	イヌ (犬・雄犬／雌犬)	dog

0105 ☐	ネコ (猫・雄猫／雌猫)	cat

0106 ☐	ウマ (馬・雄馬／雌馬)	horse

0107 ☐	ヒツジ (雄羊／羊・雌羊)	sheep

◆「子羊」は agnello【男】アンニェッロ。 pecorino【男】ペコリーノ は「ペコリーノチーズ」。

0108 ☐	ヤギ (雄ヤギ／ヤギ・雌ヤギ)	goat

0109 ☐	ウシ ((去勢した)雄牛／乳牛)	cow

◆「畜牛」は bue；buoi【男；男複】ブーエ；ブオイ。

0110 ☐	ブタ	pig

◆ maiale は「豚肉」も指す。 suino は形容詞としても使われる。

男	**animale**
	アニマーレ

男無変	**zoo**
	ゾーォ

男	**acquario**
	アックアーリォ

男/女	**cane / cagna**
	カーネ / カンニャ

男/女	**gatto / gatta**
	ガット / ガッタ

男/女	**cavallo / cavalla**
	カヴァッロ / カヴァッラ

男/女	**montone / pecora**
	モントーネ / ペーコラ

男/女	**caprone / capra**
	カプローネ / カープラ

男/女	**toro / mucca**
	トーロ / ムッカ

男, 男	**maiale, suino**
	マイアーレ, スイーノ

0111 ☐	クマ （熊・雄熊／雌熊）	bear
0112 ☐	ゾウ （象・雄象／雌象）	elephant
0113 ☐	オオカミ （狼・雄狼／雌狼）	wolf
0114 ☐	ライオン （ライオン・雄ライオン／雌ライオン）	lion
0115 ☐	トラ	tiger
0116 ☐	ラクダ	camel
0117 ☐	キツネ	fox
0118 ☐	ウサギ	rabbit

◆「野ウサギ」は lepre [女] レープレ。

| 0119 ☐ | サル | monkey |
| 0120 ☐ | ネズミ | mouse |

◆「ミッキーマウス」は Topolino [男(固名)] トポリーノ。

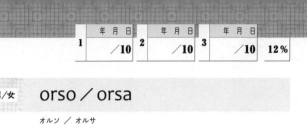

男/女	**orso / orsa**
	オルソ ／ オルサ

男/女	**elefante / elefantessa**
	エレファンテ ／ エレファンテッサ

男/女	**lupo / lupa**
	ルーポ ／ ルーパ

男/女	**leone / leonessa**
	レオーネ ／ レオネッサ

女	**tigre**
	ティーグレ

男	**cammello**
	カンメッロ

女	**volpe**
	ヴォルペ

男	**coniglio**
	コニッリォ

女	**scimmia**
	シンミア

男	**topo**
	トーポ

0121 ☐	鳥	bird

0122 ☐	ニワトリ	chicken

◆「オンドリ／メンドリ」は gallo/gallina 〖男／女〗ガッロ／ガッリーナ。

0123 ☐	ハト	pigeon

0124 ☐	カラス	crow

0125 ☐	ヘビ	snake

0126 ☐	カエル	frog

◆ nuoto a rana で「平泳ぎ」(nuoto 〖男〗ヌオートは「水泳, 泳ぎ」)。

0127 ☐	蝶	butterfly

◆ nuoto a farfalla で「(水泳の) バタフライ」。

0128 ☐	蚊	mosquito

0129 ☐	ハエ	fly

0130 ☐	昆虫, 虫	insect

男 **uccello**

ウッチェッロ

男 **pollo**

ポッロ

男 **piccione**

ピッチョーネ

男 **corvo**

コルヴォ

男 **serpente**

セルペンテ

女 **rana**

ラーナ

女 **farfalla**

ファルファッラ

女 **zanzara**

ザンザーラ

女 **mosca**

モスカ

男 **insetto**

インセット

014

0131 ☐ 家族，家庭	family

0132 ☐ 親戚	relative

0133 ☐ 親	parent

◆「両親」は genitori 〖男複〗ジェニトーリ。

0134 ☐ 兄弟	brother

0135 ☐ 姉妹	sister

0136 ☐ 父	father

◆「パパ」は papà 〖男無変〗パパー など（注意：「ローマ教皇」は papa 〖男〗パーパ）。

0137 ☐ 母	mother

◆「ママ」は mamma 〖女〗マンマ など（Mamma mia! マンマミーア で「わあ，なんと！」）。

0138 ☐ 夫	husband

0139 ☐ 妻	wife

0140 ☐ 息子／娘	son／daughter

女	**famiglia**
	ファミッリァ

男女同	**parente**
	パレンテ

男	**genitore**
	ジェニトーレ

男	**fratello**
	フラテッロ

女	**sorella**
	ソレッラ

男	**padre**
	パードレ

女	**madre**
	マードレ

男	**marito**
	マリート

女	**moglie**
	モッリェ

男/女	**figlio / figlia**
	フィッリォ / フィッリァ

0141 ☐	祖父／祖母	grandfather／grandmother

0142 ☐	孫	grandson／granddaughter

◆「甥〈おい〉,姪〈めい〉」『男女同』の意味でも使う。

0143 ☐	おじ／おば	uncle／aunt

0144 ☐	いとこ　〖男／女〗	cousin

0145 ☐	舅〈しゅうと〉,義父 ／ 姑〈しゅうとめ〉,義母	father-in-law／mother-in-law

0146 ☐	男性	man

◆ uomo は「人間」(複数形は (gli) uomini),maschio は「オス」という意味でも使う。

0147 ☐	女性	woman

◆ femmina は「メス」という意味でも使う。

0148 ☐	(男性／女性に対し) ～さん,ご主人,～氏／奥様,～夫人	sir／madam

◆ 未婚女性に対しては signorina 〖女〗スィンニョリーナ という言い方もある。

0149 ☐	若者	young people

◆「若い」〖形〗という意味でも使う。「青春」は gioventù 〖女無変〗ジョヴェントゥー。

0150 ☐	洗礼	baptism

	年 月 日		年 月 日		年 月 日	
1	/**10**	**2**	/**10**	**3**	/**10**	**15%**

男/女	nonno / nonna
	ノンノ / ノンナ

男女同	nipote
	ニポーテ

男/女	zio / zia
	ズィーオ [ツィーオ] / ズィーア [ツィーア]

男/女	cugino / cugina
	クジーノ / クジーナ

男/女	suocero / suocera
	スオーチェロ / スオーチェラ

男, 男・形	uomo, maschio
	ウォーモ, マスキォ

女, 女	donna, femmina
	ドンナ, フェンミナ

男/女	signore / signora
	スィンニョーレ / スィンニョーラ

男女同	giovane
	ジョーヴァネ

男	battesimo
	バッテーズィモ

0151 ☐	赤ちゃん，子ども 【男／女】	baby, child

◆「(乳)幼児」は infante 【男女同】ｲﾝﾌｧﾝﾃ，「新生児」は neonato/neonata 【男／女】ﾈｵﾅｰﾄ/ﾈｵﾅｰﾀ。

0152 ☐	大人，成人 【男／女】	adult

0153 ☐	高齢者 【男／女】	elderly (people)

◆「老人」は vecchio/vecchia 【男／女】ｳﾞｪｯｷｫ/ｳﾞｪｯｷｬ（【形】で「古い」の意）。

0154 ☐	人間（の）	human

0155 ☐	人	person

◆「重要人物，登場人物」は personaggio 【男】ﾍﾟﾙｿﾅｯｼﾞｮ。

0156 ☐	個性，人格	personality

0157 ☐	性格	character

◆「文字」という意味でも使う。

0158 ☐	印象	impression

0159 ☐	振る舞い	behavior

0160 ☐	態度，姿勢	attitude

男/女	**bambino / bambina**
	バンビーノ / バンビーナ

男/女	**adulto / adulta**
	アドゥルト / アドゥルタ

男/女	**anziano / anziana**
	アンツィアーノ / アンツィアーナ

形・男	**umano**
	ウマーノ

女	**persona**
	ペルソーナ

女無変	**personalità**
	ペルソナリター

男	**carattere**
	カラッテレ

女	**impressione**
	インプレッスィオーネ

男	**comportamento**
	コンポルタメント

男	**atteggiamento**
	アッテッジャメント

017

0161 ☐	気持ち，感情	feelings

◆「感じ，感覚」は sensazione [女] センサツィオーネ（五感の感覚を示すときは senso [男] センソ）。

0162 ☐	驚き	surprise

0163 ☐	怒り	anger

0164 ☐	悲しみ	sadness

0165 ☐	同情	sympathy, compassion

◆「好感，共感」は simpatia [女] スィンパティーア（⇔ antipatia [女] アンティパティーア「反感，嫌悪」）。

0166 ☐	後悔	regret

0167 ☐	不安	anxiety

◆「心配」は preoccupazione [女] プレオックパツィオーネ。

0168 ☐	恐怖	fear

0169 ☐	意志，意欲	will

0170 ☐	喜び	joy, pleasure

◆「はじめまして」という挨拶にも用いる。「歓喜，喜び」は gioia [女] ジョイア。

男	**sentimento**
	センティメント

女	**sorpresa**
	ソルプレーザ

女, 女	**ira, rabbia**
	イーラ， ラッビア

女	**tristezza**
	トリステッツァ

女	**compassione**
	コンパッスィオーネ

男	**pentimento**
	ペンティメント

女	**ansia**
	アンスィア

女	**paura**
	パウーラ

女無変	**volontà**
	ヴォロンター

男	**piacere**
	ピアチェーレ

0171 ☐	挨拶	greeting

0172 ☐	習慣，癖	habit

0173 ☐	会話	conversation

◆「対話」は dialogo【男】ディアーロゴ。

0174 ☐	約束	promise

◆「(人と会う)約束，デート」は appuntamento【男】アップンタメント。

0175 ☐	準備	preparation

0176 ☐	依頼	request

0177 ☐	援助，助け	help

0178 ☐	助言	advice

0179 ☐	協力	cooperation, collaboration

0180 ☐	感謝	thanks, gratitude

◆「感謝(気持ち)，謝意」は gratitudine【女】グラティトゥーディネ。Grazie. グラーツィエ で「ありがとう」。

男 saluto

サルート

女 abitudine

アビトゥーディネ

女 conversazione

コンヴェルサツィオーネ

女 promessa

プロメッサ

女 preparazione

プレパラツィオーネ

女 richiesta

リキエスタ

男 aiuto

アイウート

男 consiglio

コンスィッリォ

女, 女 cooperazione, collaborazione

コオペラツィオーネ， コッラボラツィオーネ

男 ringraziamento

リングラツィアメント

0181 ☐	友人　〖男/女〗	friend

◆〖男複〗は amici アミーチ となる。「友情」は amicizia 〖女〗アミチーツィア。

0182 ☐	恋人　(彼氏/彼女)	boyfriend／girlfriend

◆「少年/少女」〖男/女〗という意味でも使う。

0183 ☐	婚約者　〖男/女〗	fiancé／fiancée

◆「婚約」は fidanzamento 〖男〗フィダンツァメント。

0184 ☐	カップル	couple

◆「夫婦」という意味でも使う。「ペア」は paio 〖男〗パーイオ(複数は (le) paia 〖女複〗)。

0185 ☐	愛，恋，恋愛	love

◆「キス」は bacio；baci 〖男；男複〗バーチョ；バーチ(手紙の結びなどにも用いられる)。

0186 ☐	結婚	marriage

0187 ☐	結婚式	wedding

0188 ☐	離婚	divorce

0189 ☐	葬式	funeral

0190 ☐	墓	grave

◆「墓地」は cimitero 〖男〗チミテーロ。

男/女	amico / amica
	アミーコ / アミーカ

男/女	ragazzo / ragazza
	ラガッツォ / ラガッツァ

男/女	fidanzato / fidanzata
	フィダンツァート / フィダンツァータ

女	coppia
	コッピア

男	amore
	アモーレ

男	matrimonio
	マトリモーニォ

女複	nozze
	ノッツェ

男	divorzio
	ディヴォルツィオ

男	funerale
	フネラーレ

女	tomba
	トンバ

0191 ☐	人生，生命，生活	life

0192 ☐	妊娠	pregnancy

◆「出産」は parto【男】パルト。

0193 ☐	誕生	birth

◆「ルネサンス」（再生の意）は Rinascimento【男】リナッシメント（単数のみ）。

0194 ☐	死	death

◆「死者，死人」は morto／morta【男／女】モルト／モルタ。

0195 ☐	身体，体，ボディー	body

0196 ☐	ひじ	elbow

0197 ☐	腕	arm

◆ 複数形は性が変化：定冠詞は女性複数の le となる（→定冠詞については p.210 を参照）。

0198 ☐	手	hand

0199 ☐	指	finger

◆ 複数形は性が変化。ただし特定の指の複数形には (i) diti【男複】を用いる。

0200 ☐	爪	nail

女	**vita**

ヴィータ

女	**gravidanza**

グラヴィダンツァ

女	**nascita**

ナッシタ

女	**morte**

モルテ

男	**corpo**

コルポ

男	**gomito**

ゴーミト

男；女複	**braccio ;** (le) **braccia**

ブラッチョ ； （レ）ブラッチャ

女；女複	**mano ;** (le) **mani**

マーノ ； （レ）マーニ

男；女複	**dito ;** (le) **dita**

ディート ； （レ）ディータ

女	**unghia**

ウンギア

021

0201 ☐	頭	head

◆「めまい」は capogiro〖男〗カポジーロ。 Da Capo ダカーポ「はじめから〈音楽〉」。

0202 ☐	髪	hair

◆「カペッリーニ（極細パスタ）」は capellini〖男複〗カペッリーニ。

0203 ☐	顔	face

0204 ☐	目	eye

◆「メガネ」は occhiali〖男複〗オッキアーリ。

0205 ☐	耳	ear

0206 ☐	鼻	nose

0207 ☐	口	mouth

◆「あご髭」は barba〖女〗バルバ， 「口髭」は baffi〖男複〗バッフィ。

0208 ☐	歯	tooth ; teeth

◆「歯医者」は dentista〖男女同〗デンティスタ。

0209 ☐	唇	lip

◆ 複数形は性が変化。

0210 ☐	舌	tongue

◆「言語」という意味でも使う。

女, 男	**testa, capo**
	テスタ, カーポ
男複	**capelli**
	カペッリ
女, 男	**faccia, viso**
	ファッチャ, ヴィーゾ
男	**occhio**
	オッキォ
男	**orecchio**
	オレッキォ
男	**naso**
	ナーゾ
女	**bocca**
	ボッカ
男	**dente**
	デンテ
男；女複	**labbro；(le) labbra**
	ラッブロ ； (レ) ラッブラ
女	**lingua**
	リングア

0211 ☐	声	voice

◆「噂, 風評」という意味でも使う。

0212 ☐	のど	throat

0213 ☐	首	neck

◆ 注意：colla [女] は「糊, 接着剤」。

0214 ☐	肩	shoulder

0215 ☐	胸	chest

◆ seno は特に女性の胸を指す。

0216 ☐	背中	back

0217 ☐	尻	buttocks

◆「座る」[動] という意味でも使う。

0218 ☐	脚	leg

◆ 太ももの付け根から足首までを指す。

0219 ☐	足	foot

◆ 足首からつま先までを指す。

0220 ☐	ひざ	knee

◆ ginocchia [女複] は「両膝」を意味し, それ以外の複数は (i) ginocchi [男複] となる。

女	voce
	ヴォーチェ

女	gola
	ゴーラ

男	collo
	コッロ

女	spalla
	スパッラ

男, 男	petto, seno
	ペット, セーノ

女, 男	schiena, dorso
	スキエーナ, ドルソ

男	sedere
	セデーレ

女	gamba
	ガンバ

男	piede
	ピエーデ

男；女複	ginocchio ; (le) ginocchia
	ジノッキォ ； (レ) ジノッキァ

0221 □	心臓，心	heart

0222 □	脳	brain

0223 □	肺	lung

0224 □	おなか，腹	belly

0225 □	胃	stomach

0226 □	肝臓	liver

0227 □	血	blood

◆ 単数形のみ。

0228 □	汗	sweat

0229 □	涙	tear

0230 □	骨	bone

◆ ossa［女複］は人間の骨格に用いられ，それ以外の複数では (gli) ossi［男複］を用いる。

男	cuore
	クオーレ

男	cervello
	チェルヴェッロ

男	polmone
	ポルモーネ

女, 男	pancia, ventre
	パンチャ, ヴェントレ

男	stomaco
	ストーマコ

男	fegato
	フェーガト

男	sangue
	サングエ

男	sudore
	スドーレ

女複	lacrime
	ラークリメ

男；女複	osso ; (le) ossa
	オッソ ； (レ)オッサ

0231 ☐	筋肉	muscle

0232 ☐	皮膚，肌	skin

◆「皮革，皮」という意味でも使う。

0233 ☐	健康	health

◆くしゃみをした人にかける言葉や「乾杯!」という掛け声にも用いる。

0234 ☐	病気	disease

0235 ☐	風邪	cold

0236 ☐	インフルエンザ	influenza, flu

◆「影響」という意味でも使う。

0237 ☐	感染，伝染病	infection

◆「ワクチン接種」は vaccinazione [女] ヴァッチナツィオーネ。

0238 ☐	熱，発熱	fever

0239 ☐	けが，傷	injury

◆「負傷者，けが人」は ferito／ferita [男／女] フェリート／フェリータ。

0240 ☐	アレルギー	allergy

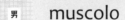

男	**muscolo**
	ムスコロ

女	**pelle**
	ペッレ

女	**salute**
	サルーテ

女	**malattia**
	マラッティーア

男	**raffreddore**
	ラッフレッドーレ

女	**influenza**
	インフルエンツァ

女, 男	**infezione, contagio**
	インフェツィオーネ，コンタージョ

女	**febbre**
	フェッブレ

女	**ferita**
	フェリータ

女	**allergia**
	アッレルジーア

0241 ☐	痛み	pain

0242 ☐	頭痛	headache

◆ mal = male〖男・副〗マーレ は「悪いこと，苦痛，悪く」。

0243 ☐	腹痛	stomachache

◆「胃痛」は mal di stomaco〖男〗マル ディ ストーマコ。

0244 ☐	下痢	diarrhea

◆「吐き気」は nausea〖女〗ナウゼア。

0245 ☐	くしゃみ	sneeze

0246 ☐	せき	cough

◆ 単数のみ。

0247 ☐	空腹	hunger

◆ 単数のみ。

0248 ☐	のどの渇き	thirst

◆ 単数のみ。

0249 ☐	疲れ，疲労	fatigue

◆「疲れた」は stanco〖形〗スタンコ。「苦労，疲労」は fatica〖女〗ファティーカ。

0250 ☐	痩せた	thin

◆「太った」は grasso〖形〗グラッソ。

男 dolore
ドローレ

男 mal di testa
マル ディ テスタ

男 mal di pancia
マル ディ パンチャ

女 diarrea
ディアッレーア

男 starnuto
スタルヌート

女 tosse
トッセ

女 fame
ファーメ

女 sete
セーテ

女 stanchezza
スタンケッツァ

形 magro
マーグロ

0251 ☐	病院	hospital

0252 ☐	救急車	ambulance

0253 ☐	医者　[男／女]	doctor

◆ medico は形容詞で「医者の，医学の」としても使われる。

0254 ☐	看護師　[男／女]	nurse

0255 ☐	患者	patient

◆形容詞で「忍耐[辛抱]強い」の意。「病人」は malato／malata [男／女] マラート／マラータ。

0256 ☐	診察，検査	(medical) examination

◆「訪問」という意味でも使う。

0257 ☐	手術	surgery

0258 ☐	注射	injection

0259 ☐	包帯	bandage

0260 ☐	処方せん	prescription

◆「(料理の)レシピ」という意味でも使う。

男	**ospedale**
	オスペダーレ

女	**ambulanza**
	アンブランツァ

男女同, 男/女	**medico, dottore / dottoressa**
	メーディコ, ドットーレ/ドットレッサ

男/女	**infermiere / infermiera**
	インフェルミエーレ / インフェルミエーラ

男女同	**paziente**
	パツィエンテ

女	**visita**
	ヴィーズィタ

女	**operazione**
	オペラツィオーネ

女	**iniezione**
	イニエツィオーネ

女	**benda**
	ベンダ

女	**ricetta**
	リチェッタ

0261 ☐	薬局	pharmacy

◆「ドラッグストア」という意味でも使う。

0262 ☐	薬	medicine

◆ medicina は「医学」という意味もある。

0263 ☐	錠剤	tablet

0264 ☐	塗り薬	ointment

0265 ☐	化粧品	cosmetic

◆「化粧」は trucco【男】トゥルッコ。

0266 ☐	口紅	lipstick

0267 ☐	香水	perfume

◆「香り」という意味でも使う。「におい」は odore【男】オドーレ。

0268 ☐	タバコ	cigarette

◆「タバコ（植物）」は tabacco【男】タバッコ。

0269 ☐	ライター	lighter

0270 ☐	禁煙 《掲示》	No smoking.

◆「煙」は fumo【男】フーモ。

女 farmacia

ファルマチーア

女, 男 medicina, farmaco

メディチーナ, ファルマコ

女, 女 compressa, pastiglia

コンプレッサ, パスティッリャ

女 pomata

ポマータ

男 cosmetico

コズメーティコ

男 rossetto

ロッセット

男 profumo

プロフーモ

女 sigaretta

スィガレッタ

男 accendino

アッチェンディーノ

Vietato fumare.

ヴィエタート フマーレ

0271	服，衣服	clothes

0272	ドレス，ワンピース	dress

◆「(ひと揃いの) 服」という意味でも使う。

0273	スーツ	suit

◆「完全な，満員の」[形] という意味でも使う。

0274	ジャケット，上着	jacket

0275	コート	coat

0276	襟	collar

◆ collo [男] は「首」。

0277	袖	sleeve

0278	ズボン	pants

◆「半ズボン」は pantaloncini [男複] パンタロンチーニ。

0279	スカート	skirt

◆「ミニスカート」は minigonna [女] ミニゴンナ。

0280	ファッション，流行	fashion

◆ 注意：modo [男] は「やり方，方法」。

男	**vestito**
	ヴェスティート

男	**abito**
	アービト

男	**completo**
	コンプレート

女	**giacca**
	ジャッカ

男	**cappotto**
	カッポット

男	**colletto**
	コッレット

女	**manica**
	マーニカ

男複	**pantaloni**
	パンタローニ

女	**gonna**
	ゴンナ

女	**moda**
	モーダ

0281	セーター	sweater

◆ maglia〔女〕マッリャ はスポーツのユニフォームのシャツという意味で用いられる。

0282	Tシャツ	t-shirt

◆「パジャマ」は pigiama〔男〕ピジャーマ（複数形は pigiami または無変化）。

0283	シャツ，ワイシャツ	shirt

0284	ブラウス	blouse

0285	パンツ	underwear

◆「下着」は intimo〔男〕インティモ。

0286	靴下	sock ; socks

◆「ストッキング」という意味でも使う。

0287	靴	shoe ; shoes

0288	サンダル	sandal ; sandals

0289	ブーツ	boot ; boots

0290	帽子	hat, cap

◆ 注意：cappella〔女〕は「礼拝堂，チャペル」。

男 **maglione**

マッリオーネ

女 **maglietta**

マッリエッタ

女 **camicia (da uomo)**

カミーチャ（ダ ウォーモ）

女 **camicetta**

カミチェッタ

女複 **mutande**

ムタンデ

女；女複 **calza ; calze**

カルツァ ； カルツェ

女；女複 **scarpa ; scarpe**

スカルパ ； スカルペ

男；男複 **sandalo ; sandali**

サンダロ ； サンダリ

男；男複 **stivale ; stivali**

スティヴァーレ ； スティヴァーリ

男 **cappello**

カッペッロ

0291 ☐	ネクタイ	tie

0292 ☐	ベルト	belt

◆「帯」という意味でも使う。

0293 ☐	ハンカチ	handkerchief

0294 ☐	腕時計	watch

◆ polso [男] は「手首」。

0295 ☐	財布	wallet

◆ foglio [男] は「紙（シート）」。「葉」は foglia [女] フォッリア。

0296 ☐	メガネ	glasses

◆ occhio [男] は「目」。

0297 ☐	イヤリング，ピアス	earring ; earrings

◆ orecchio [男] は「耳」。

0298 ☐	ネックレス	necklace

◆「叢書，双書」という意味でも使う。 collo [男] は「首」。

0299 ☐	指輪，輪	ring

◆「年輪」という意味でも使う。

0300 ☐	宝石，アクセサリー	jewel

女	**cravatta**
	クラヴァッタ

女	**cintura**
	チントゥーラ

男	**fazzoletto**
	ファッツォレット

男	**orologio da polso**
	オロロージョ ダ ポルソ

男, 男無変	**portafoglio, portafogli**
	ポルタフォッリオ, ポルタフォッリ

男複	**occhiali**
	オッキアーリ

男;男複	**orecchino ; orecchini**
	オレッキーノ ; オレッキーニ

女	**collana**
	コッラーナ

男	**anello**
	アネッロ

男	**gioiello**
	ジョイエッロ

0301 ☐	手袋	glove ; gloves

0302 ☐	マフラー，スカーフ	scarf

0303 ☐	マスク	face mask

◆「仮面」は maschera【女】マスケラ。

0304 ☐	傘	umbrella

0305 ☐	バッグ，袋，かばん	bag

◆「ハンドバッグ」は borsetta【女】ボルセッタ。「奨学金」は borsa di studio【女】ボルサ ディ ストゥーディオ。

0306 ☐	リュックサック	backpack

0307 ☐	スーツケース，旅行かばん	suitcase

0308 ☐	針	needle

0309 ☐	糸	thread

◆一本一本ではなく総称的に「糸」の複数形を表す場合は (le) fila【女複】となる。

0310 ☐	布(地)，織物	fabric

◆「キャンバス (画布)」は tela【女】テーラ。

男；男複	guanto ; guanti
	グアント ； グアンティ

女	sciarpa
	シャルパ

女	mascherina
	マスケリーナ

男	ombrello
	オンブレッロ

女	borsa
	ボルサ

男	zaino
	ザーイノ

女	valigia
	ヴァリージャ

男	ago
	アーゴ

男	filo
	フィーロ

男	tessuto
	テッスート

0311 ☐	綿，コットン	cotton

0312 ☐	絹，シルク	silk

0313 ☐	毛(糸)，ウール	wool

0314 ☐	色	color

0315 ☐	赤，赤い	red

0316 ☐	白，白い	white

0317 ☐	青，青い	blue

◆「イタリア代表選手(の)」［男/女・形］という意味でも使う。「紺色, 藍色」は blu ［男無変］ブル。

0318 ☐	黄，黄色い	yellow

◆「推理小説」という意味でも使う。

0319 ☐	緑 (の)	green

0320 ☐	オレンジ色 (の)	orange

◆ 形容詞は無変化。arancio は「オレンジ」全般の意味 (果実は arancia ［女］アランチャ とも)。

男	**cotone**	
	コトーネ	

女	**seta**
	セータ

女	**lana**
	ラーナ

男	**colore**
	コローレ

男・形	**rosso**
	ロッソ

男・形	**bianco**
	ビアンコ

男・形	**azzurro**
	アッズッロ

男・形	**giallo**
	ジャッロ

男・形	**verde**
	ヴェルデ

男・形(無変), 男・形(無変)	**arancio, arancione**
	アランチョ，アランチョーネ

033

0321 ☐	茶色 (の)	brown

◆「栗 (の実, 木)」という意味でも使う。

0322 ☐	灰色 (の)	gray

0323 ☐	黒 (の)	black

0324 ☐	家	house

◆「主婦」は casalinga【女】カサリーンガ。 注意: caso【男】は「偶然, 場合, ケース」。

0325 ☐	鍵	key

◆「キーホルダー」は portachiavi【男無変】ポルタキアーヴィ。

0326 ☐	家賃	rent

0327 ☐	引っ越し	moving

0328 ☐	住所, 宛先	address

0329 ☐	アパート, マンション	apartment

◆「館, 大邸宅, ビル」は palazzo【男】パラッツォ。

0330 ☐	階	floor

◆ このほか「プラン」「平面」「平らな」「ゆっくり」など様々な意味で使われる多義語。

男・形	**marrone**
	マッローネ

男・形	**grigio**
	グリージョ

男・形	**nero**
	ネーロ

女	**casa**
	カーザ

女	**chiave**
	キアーヴェ

男	**affitto**
	アッフィット

男	**trasloco**
	トラズローコ

男	**indirizzo**
	インディリッツォ

男	**appartamento**
	アッパルタメント

男	**piano**
	ピアーノ

| 0331 ☐ | 玄関 | entrance |

◆「入口，入場」という意味でも使う。

| 0332 ☐ | 部屋 | room |

◆「(広めの) 部屋，広間，ホール」は sala 【女】サーラ。

| 0333 ☐ | 寝室 | bedroom |

◆「ベッド」は letto 【男】レット。「眠気，睡眠」は sonno 【男】ソンノ。

| 0334 ☐ | ダイニングルーム | dining room |

◆ pranzo 【男】は「昼食 (正餐)」。

| 0335 ☐ | リビングルーム | living room |

◆「滞在」という意味でも使う。

| 0336 ☐ | キッチン，台所 | kitchen |

◆「調理，料理」という意味でも使う。

| 0337 ☐ | 地下室 | basement |

◆「地下の」【形】という意味でも使う。

| 0338 ☐ | バルコニー | balcony |

◆「テラス」は terrazza 【女】テッラッツァ。

| 0339 ☐ | 車庫，ガレージ | garage |

| 0340 ☐ | インターフォン | intercom |

◆「呼び鈴，ベル」は campanello 【男】カンパネッロ (campana 【女】カンパーナ は「鐘」)。

	年 月 日		年 月 日		年 月 日	
1	/10	2	/10	3	/10	34 %

男	**ingresso**
	イングレッソ

女, 女	**stanza, camera**
	スタンツァ，カーメラ

女	**camera da letto**
	カーメラ ダ レット

女	**sala da pranzo**
	サーラ ダ プランゾ

男	**soggiorno**
	ソッジョルノ

女	**cucina**
	クチーナ

男	**sotterraneo**
	ソッテッラーネオ

男	**balcone**
	バルコーネ

男無変	**garage**
	ガラージュ

男	**citofono**
	チトーフォノ

| 0341 ☐ | シャワー | shower |

| 0342 ☐ | トイレ | bathroom |

◆「浴室，バスルーム」という意味でも使う。

| 0343 ☐ | ドア，扉 | door |

◆「(家の) 門」という意味でも使う。「(乗り物の) ドア」は sportello【男】スポルテッロ。

| 0344 ☐ | 廊下 | corridor |

| 0345 ☐ | 階段 | stairs |

◆「スケール，規模」や「音階」という意味でも使う。

| 0346 ☐ | 壁 | wall |

◆ muro は外壁, parete は内壁。muro は「城壁」の意味では複数形が (le) mura【女複】となる。

| 0347 ☐ | 床 | floor |

◆「天井」は soffitto【男】ソッフィット（soffitta【女】ソッフィッタは「屋根裏部屋」）。

| 0348 ☐ | 屋根 | roof |

| 0349 ☐ | 庭 | garden |

◆「ガーデニング，園芸」は giardinaggio【男】ジャルディナッジョ。

| 0350 ☐ | 中庭 | courtyard |

女	doccia
	ドッチャ

男	bagno
	バンニョ

女	porta
	ポルタ

男	corridoio
	コッリドーイオ

女	scala
	スカーラ

男, 女	muro, parete
	ムーロ, パレーテ

男	pavimento
	パヴィメント

男	tetto
	テット

男	giardino
	ジャルディーノ

男	cortile
	コルティーレ

75

| 0351 ☐ | 窓 | window |

| 0352 ☐ | カーテン | curtain |

◆「テント」という意味でも使う。

| 0353 ☐ | 家具 | furniture |

◆「動かせる，移動可能な」[形] という意味でも使う。

| 0354 ☐ | テーブル | table |

◆「食卓」は tavola [女] ターヴォラ。

| 0355 ☐ | 机 | desk |

| 0356 ☐ | 椅子 | chair |

| 0357 ☐ | ソファ | sofa |

| 0358 ☐ | まくら | pillow |

◆「クッション」という意味でも使う。

| 0359 ☐ | 毛布 | blanket |

◆「カバー」という意味でも使う。 注意：coperto [男] は「席料，テーブルチャージ」。

| 0360 ☐ | シーツ | sheet |

◆ 複数形は lenzuoli [男複] だが，セットで一揃いのシーツには (le) lenzuola [女複] を使う。

女	**finestra**	フィネストラ
女	**tenda**	テンダ
男	**mobile**	モービレ
男	**tavolo**	ターヴォロ
女	**scrivania**	スクリヴァニーア
女	**sedia**	セーディア
男, 男無変	**divano, sofà**	ディヴァーノ, ソファー
男	**cuscino**	クッシーノ
女	**coperta**	コペルタ
男	**lenzuolo**	レンツオーロ

0361 ☐	じゅうたん，カーペット	carpet

0362 ☐	洋服ダンス	wardrobe

0363 ☐	食器棚	cupboard

0364 ☐	棚，本棚	(book) shelf

◆「本」は libro；libri【男；男複】リーブロ；リーブリ。

0365 ☐	照明	lighting

◆「光, 日光, ライト」は luce【女】ルーチェ。

0366 ☐	ランプ	lamp

0367 ☐	ろうそく，キャンドル	candle

0368 ☐	暖房器具，ヒーター	heater

◆「ストーブ」は stufa【女】ストゥーファ。

0369 ☐	エアコン	air conditioner

◆ aria【女】は「空気」。

0370 ☐	時計	clock

男 tappeto

タッペート

男 armadio

アルマーディオ

女 credenza

クレデンツァ

男 scaffale (per libri)

スカッファーレ (ペル リーブリ)

女 illuminazione

イッルミナツィオーネ

女 lampada

ランパダ

女 candela

カンデーラ

男 riscaldamento

リスカルダメント

男, 女 condizionatore d'aria, aria condizionata

コンディツィオナトーレ ダーリァ, アーリァ コンディツィオナータ

男 orologio

オロロージョ

0371 ☐	花瓶	vase

◆ vaso [男] ヴァーゾ は「壺」。

0372 ☐	人形	doll

0373 ☐	おもちゃ	toy

◆「遊ぶ，（スポーツを）プレーする」は giocare [動] ジョカーレ。

0374 ☐	鏡	mirror

◆「姿見，ドレッサー」は specchiera [女] スペッキエーラ。

0375 ☐	石鹸	soap

0376 ☐	シャンプー	shampoo

◆「リンス」は balsamo [男] バルサモ。

0377 ☐	タオル	towel

◆ asciugare [動] アッシュガーレ は「乾かす」という意味。mano [女] は「手」。

0378 ☐	ドライヤー	hair dryer

◆ capelli [男複] は「髪」。

0379 ☐	（ヘア）ブラシ	hairbrush

◆「くし」は pettine [男] ペッティネ。

0380 ☐	歯ブラシ	toothbrush

◆「歯磨き粉」は pasta dentifricia [女] パスタ デンティフリーチャ。denti [男複] は「歯」。

男	**vaso da fiori**
	ヴァーゾ ダ フィオーリ

女	**bambola**
	バンボラ

男	**giocattolo**
	ジョカットロ

男	**specchio**
	スペッキォ

男	**sapone**
	サポーネ

男無変	**shampoo**
	シャーンポー

男	**asciugamano**
	アッシュガマーノ

男無変, 男無変	**asciugacapelli, fon**
	アッシュガカペッリ，フォン

女	**spazzola (per capelli)**
	スパッツォラ（ペル カペッリ）

男	**spazzolino (da denti)**
	スパッツォリーノ（ダ デンティ）

81

0381 ☐	家事	housework

0382 ☐	掃除	cleaning

0383 ☐	掃除機	vacuum cleaner

◆「ほこり, 塵」は polvere 【女】ポルヴェレ。aspirare 【動】アスピラーレ は「吸い込む」。

0384 ☐	ほうき	broom

◆ 注意：scopo 【男】は「目的, 目標」。

0385 ☐	洗剤	detergent

0386 ☐	スポンジ	sponge

0387 ☐	バケツ	bucket

0388 ☐	電気, 電力	electricity

0389 ☐	スイッチ	switch

0390 ☐	コンセント	outlet

女複, 男複	faccende domestiche, lavori di casa
	ファッチェンデ ドメスティケ，ラヴォーリ ディ カーザ

女複	pulizie
	プリツィーエ

男無変	aspirapolvere
	アスピラポルヴェレ

女	scopa
	スコーパ

男, 男	detersivo, detergente
	デテルスィーヴォ，デテルジェンテ

女	spugna
	スプンニャ

男	secchio
	セッキォ

女無変	elettricità
	エレットリチター

男	interruttore
	インテッルットーレ

女	presa (di corrente)
	プレーザ (ディ コッレンテ)

0391 ☐	洗濯	laundry

◆「洗濯物」の意味でも使う。

0392 ☐	洗濯機	washing machine

◆「クリーニング店」は lavanderia 『女』ラヴァンデリーア。

0393 ☐	アイロン	iron

◆ ferro 『男』は「鉄」。

0394 ☐	冷蔵庫	refrigerator

0395 ☐	オーブン	oven

◆「パン屋」という意味でも使う。

0396 ☐	電子レンジ	microwave

0397 ☐	フライパン	frying pan

0398 ☐	鍋	pot

0399 ☐	やかん，ケトル	kettle

◆「ポット」という意味でも使う。

0400 ☐	瓶，ボトル	bottle

男	**bucato**
	ブカート

女	**lavatrice**
	ラヴァトリーチェ

男	**ferro da stiro**
	フェッロ ダ スティーロ

男 [男無変]	**frigorifero [frigo]**
	フリゴリーフェロ [フリーゴ]

男	**forno**
	フォルノ

男 [男無変]	**forno a microonde [microonde]**
	フォルノ ア ミクロオンデ [ミクロオンデ]

女	**padella**
	パデッラ

女	**pentola**
	ペントラ

男	**bollitore**
	ボッリトーレ

女	**bottiglia**
	ボッティッリァ

0401 ☐	スプーン	spoon

0402 ☐	フォーク	fork

0403 ☐	ナイフ，包丁	knife

0404 ☐	皿	plate

◆「料理」という意味でも使う。

0405 ☐	グラス，コップ	glass

0406 ☐	カップ	cup

◆「便器」という意味でも使う。

0407 ☐	ボウル，深皿，椀	bowl

0408 ☐	箱	box

◆「ケース，缶，缶詰」などの意味でも使う。

0409 ☐	ナプキン	napkin

◆「テーブルクロス」は tovaglia 〖女〗トヴァッリャ。

0410 ☐	材料	ingredient

男	**cucchiaio**
	クッキャイオ

女	**forchetta**
	フォルケッタ

男	**coltello**
	コルテッロ

男	**piatto**
	ピアット

男	**bicchiere**
	ビッキエーレ

女	**tazza**
	タッツァ

女	**ciotola**
	チョートラ

女	**scatola**
	スカートラ

男	**tovagliolo**
	トヴァッリォーロ

男	**ingrediente**
	イングレディエンテ

042

0411 □

食事　　　　　　　　　　　　meal

　◆注意：pasta [女] パスタ は「パスタ (スパゲッティなどの麺類)，ペースト」。

0412 □

朝食　　　　　　　　　　　　breakfast

0413 □

昼食　　　　　　　　　　　　lunch

0414 □

夕食　　　　　　　　　　　　dinner

　◆《最後の晩餐》は l'Ultima Cena [女] ルルティマ チェーナ。

0415 □

パン　　　　　　　　　　　　bread

　◆「パニーニ」は panino [男] パニーノ。

0416 □

米，稲　　　　　　　　　　　rice

　◆「笑い」という意味でも使う。「微笑み」は sorriso [男] ソッリーゾ。「リゾット」は risotto [男] リゾット。

0417 □

小麦粉　　　　　　　　　　　flour

　◆単に「(穀物の) 粉」という意味でも使う。「小麦」は grano [男] グラーノ。

0418 □

卵　　　　　　　　　　　　　egg

　◆複数形は性が変化。

0419 □

チーズ　　　　　　　　　　　cheese

　◆cacio は主にイタリア南部で用いられる。

0420 □

バター　　　　　　　　　　　butter

　◆「油」は olio [男] オーリオ。

男 pasto

パスト

女 colazione

コラツィオーネ

男 pranzo

プランゾ

女 cena

チェーナ

男 pane

パーネ

男 riso

リーゾ

女 farina

ファリーナ

男；女複 uovo ; (le) uova

ウォーヴォ ； (レ)ウォーヴァ

男, 男 formaggio, cacio

フォルマッジョ, カーチョ

男 burro

ブッロ

0421 ☐	肉	meat

◆食肉のみならず人間や動物の肉一般を指す。

0422 ☐	魚	fish

0423 ☐	ムール貝	blue mussel

◆「アサリ」は vongola 〖女〗ヴォンゴラ。

0424 ☐	イカ (ヤリイカ, コウイカ)	squid

◆「タコ」は polpo 〖男〗ポルポ。

0425 ☐	エビ	shrimp

◆ scampo は特にはさみのあるアカザエビを指す。

0426 ☐	ハム	ham

◆「生ハム」は prosciutto crudo 〖男〗プロッシュット クルード (crudo 〖形〗「生の」)。

0427 ☐	ソーセージ	sausage

◆「サラミ」は salame 〖男〗サラーメ。

0428 ☐	インゲン豆	green bean

0429 ☐	キノコ	mushroom

0430 ☐	野菜	vegetable

女	**carne**
	カルネ
男	**pesce**
	ペッシェ
女	**cozza**
	コッツァ
男, 女	**calamaro, seppia**
	カラマーロ，セッピア
男, 男	**scampo, gambero**
	スカンポ，ガンベロ
男	**prosciutto**
	プロッシュット
女	**salsiccia**
	サルスィッチャ
男	**fagiolo**
	ファジョーロ
男	**fungo**
	フンゴ
女	**verdura**
	ヴェルドゥーラ

0431 ☐	トマト	tomato

0432 ☐	じゃがいも	potato

0433 ☐	にんじん	carrot

0434 ☐	タマネギ	onion

0435 ☐	キャベツ	cabbage

◆ cavolaia 【女】カヴォラーイァ は「モンシロチョウ」。

0436 ☐	カボチャ	pumpkin

◆「ズッキーニ」は zucchina 【女】ズッキーナ（または zucchino 【男】ズッキーノ）。

0437 ☐	なす	eggplant

0438 ☐	ピーマン	green pepper

◆「唐辛子」は peperoncino 【男】ペペロンチーノ。

0439 ☐	にんにく	garlic

0440 ☐	オリーブ	olive

◆「オリーブオイル」は olio d'oliva 【男】オーリォ ドリーヴァ。

男	**pomodoro**
	ポモドーロ

女	**patata**
	パタータ

女	**carota**
	カロータ

女	**cipolla**
	チポッラ

男	**cavolo**
	カーヴォロ

女	**zucca**
	ズッカ

女	**melanzana**
	メランザーナ

男	**peperone**
	ペペローネ

男	**aglio**
	アーリォ

女	**oliva**
	オリーヴァ

| 0441 ☐ | 果物 | fruit ; fruits |

◆「実，果実，成果」は frutto [男] フルット。

| 0442 ☐ | りんご | apple |

◆「りんごの木」は melo [男] メーロ。

| 0443 ☐ | ぶどう | grape |

| 0444 ☐ | さくらんぼ | cherry |

◆「桜」は ciliegio [男] チリエージョ。

| 0445 ☐ | いちご | strawberry |

| 0446 ☐ | もも | peach |

◆「ももの木」は pesco [男] ペスコ。

| 0447 ☐ | レモン | lemon |

| 0448 ☐ | アンズ，アプリコット | apricot |

◆「アンズの木」は albicocco [男] アルビコッコ。

| 0449 ☐ | 洋梨，梨 | pear |

◆「洋梨の木」は pero [男] ペーロ。

| 0450 ☐ | イチジク | fig |

◆「イチジクの木」という意味でも使う。

女無変	frutta
	フルッタ

女	mela
	メーラ

女	uva
	ウーヴァ

女	ciliegia
	チリエージャ

女	fragola
	フラーゴラ

女	pesca
	ペスカ

男	limone
	リモーネ

女	albicocca
	アルビコッカ

女	pera
	ペーラ

男	fico
	フィーコ

046

| 0451 ☐ | お菓子，スイーツ | sweet ; sweets |

◆「ケーキ，デザート」という意味でも使う。〖形〗で「甘い」という意味。

| 0452 ☐ | ケーキ | cake |

◆「パイ」という意味でも使う。

| 0453 ☐ | クリーム | cream |

◆化粧品や薬品にも用いる。「生クリーム」は panna 〖女〗パンナ。

| 0454 ☐ | クッキー，ビスケット | cookie |

| 0455 ☐ | キャンディ，あめ | candy |

| 0456 ☐ | チョコレート | chocolate |

◆「ココア」は cioccolata 〖女〗チョッコラータ。

| 0457 ☐ | アイスクリーム | ice cream |

◆「氷」は ghiaccio 〖男〗ギアッチョ。

| 0458 ☐ | 砂糖 | sugar |

| 0459 ☐ | 塩 | salt |

| 0460 ☐ | 調味料 | seasoning |

◆「ドレッシング」という意味でも使う。

男 **dolce**
ドルチェ

女 **torta**
トルタ

女 **crema**
クレーマ

男 **biscotto**
ビスコット

女 **caramella**
カラメッラ

男 **cioccolato**
チョッコラート

男 **gelato**
ジェラート

男 **zucchero**
ズッケロ

男 **sale**
サーレ

男 **condimento**
コンディメント

0461 □	ソース	sauce

0462 □	酢	vinegar

0463 □	コショウ	pepper

0464 □	香辛料，スパイス	spice

0465 □	からし，マスタード	mustard

◆ mostarda は「果物のシロップ漬け」という意味でも使う。

0466 □	ジャム	jam

0467 □	ハチミツ	honey

0468 □	水	water

0469 □	ミネラルウォーター	mineral water

◆「炭酸水」は acqua frizzante [gassata] 【女】アックア フリッザンテ[ガッサータ]。

0470 □	ジュース	juice

◆「(その場で絞った)生ジュース」は spremuta 【女】スプレムータ。

女	salsa

サルサ

男	aceto

アチェート

男	pepe

ペーペ

女複	spezie

スペーツィエ

女, 女	senape, mostarda

セーナペ, モスタルダ

女	marmellata

マルメッラータ

男	miele

ミエーレ

女	acqua

アックア

女	acqua minerale

アックア ミネラーレ

男	succo

スッコ

0471
□ ビール   beer

0472
□ ワイン   wine

◆「赤ワイン」は vino rosso,「白ワイン」は vino bianco。

0473
□ スパークリングワイン   sparkling wine

◆ 炭酸の強さにより vino frizzante 【男】ヴィーノ フリッザンテ と呼ぶものもある。

0474
□ 食前酒   aperitif

◆「食後酒」は digestivo 【男】ディジェスティーヴォ。

0475
□ 紅茶   tea

0476
□ 牛乳   milk

0477
□ コーヒー   coffee

0478
□ バール，喫茶店   café, bar

0479
□ レストラン   restaurant

◆ 大衆向けのカジュアルなレストランは trattoria 【女】トラットリーアという。

0480
□ メニュー   menu

女	**birra**
	ビッラ

男	**vino**
	ヴィーノ

男	**spumante**
	スプマンテ

男	**aperitivo**
	アペリティーヴォ

男無変	**tè**
	テー

男	**latte**
	ラッテ

男無変	**caffè**
	カッフェー

男無変	**bar**
	バール

男	**ristorante**
	リストランテ

男無変, 男無変	**menu, menù**
	メヌー, メヌー

■)) 🔳 *049*

0481 ☐	食べ物	food

0482 ☐	前菜	appetizer

◆ pasto 【男】は「食事」。

0483 ☐	スープ	soup

◆ zuppa は具入り，brodo はコンソメなど具なしのスープ。

0484 ☐	サラダ	salad

0485 ☐	メインディッシュ	main dish

◆ コースの「第二の皿」という意味で肉や魚の料理を指す。「第一の皿」は primo piatto。

0486 ☐	デザート	dessert

◆ dolce は「お菓子，スイーツ，ケーキ」などの意味でも使う。

0487 ☐	食欲	appetite

◆ Buon appetito! ブォナッペティート で「たくさん召し上がれ」(食事の際に相手に言う決まり文句)。

0488 ☐	料理人　【男／女】	cook

0489 ☐	ウェイター／ウェイトレス	server

◆「(ホテルの)ルームサービス係」という意味でも使う。「チップ」は mancia 【女】マンチャ。

0490 ☐	店員　【男／女】	salesperson

男	cibo
	チーポ

男	antipasto
	アンティパスト

女, 男	zuppa, brodo
	ズッパ，ブロード

女	insalata
	インサラータ

男	secondo piatto
	セコンド ピアット

男無変, 男	dessert, dolce
	デッセール，ドルチェ

男	appetito
	アッペティート

男/女	cuoco / cuoca
	クオーコ ／ クオーカ

男/女	cameriere / cameriera
	カメリエーレ ／ カメリエーラ

男/女	commesso / commessa
	コンメッソ ／ コンメッサ

0491 ☐	店	shop

0492 ☐	市場，マーケット	market

0493 ☐	スーパーマーケット	supermarket

0494 ☐	ショッピングセンター	shopping center

0495 ☐	デパート	department store

◆ grande [形] は「大きい」。 magazzino [男] は「倉庫」。

0496 ☐	売店，キオスク	kiosk

◆新聞や雑誌などが売られている売店は edicola [女] エディーコラ。

0497 ☐	本屋	bookstore

0498 ☐	美容院	beauty salon

◆「美容師」の意味では parrucchiere／parrucchiera [男／女] となる。

0499 ☐	ショーウィンドウ	store window

◆「ガラス」は vetro [男] ヴェートロ。

0500 ☐	買い物	shopping

◆「出費」や「（複数形で）費用」という意味でも使う。

	年 月 日		年 月 日		年 月 日	
1	/**10**	**2**	/**10**	**3**	/**10**	**50%**

男 **negozio**

ネゴーツィオ

男 **mercato**

メルカート

男 **supermercato**

スペルメルカート

男 **centro commerciale**

チェントロ コンメルチャーレ

男 **grande magazzino**

グランデ マガッズィーノ

男 **chiosco**

キオースコ

女 **libreria**

リブレリーア

男 **parrucchiere**

パッルッキエーレ

女 **vetrina**

ヴェトリーナ

女 **spesa**

スペーザ

051

0501 ☐	値段	price, cost

0502 ☐	セール	sale

0503 ☐	会計	check

◆「口座」や「計算，勘定」という意味でも使う。

0504 ☐	値引き，割引	discount

◆「無料で(の)」は gratis【副・形】グラーティス。

0505 ☐	領収書	receipt

◆「レシート」は scontrino【男】スコントリーノ。

0506 ☐	おつり	change

◆「残り，余り」という意味でも使う。

0507 ☐	レジ	register

◆「箱，木箱」という意味でも使う。「金庫」は cassaforte【女】カッサフォルテ（複数 casseforti）。

0508 ☐	クレジットカード	credit card

0509 ☐	現金	cash

0510 ☐	お金	money

男, 男	**prezzo, costo**
	プレッツォ, コスト

男複	**saldi**
	サルディ

男	**conto**
	コント

男	**sconto**
	スコント

女	**ricevuta**
	リチェヴータ

男	**resto**
	レスト

女	**cassa**
	カッサ

女	**carta di credito**
	カルタ ディ クレーディト

男複	**contanti**
	コンタンティ

男複, 男	**soldi, denaro**
	ソルディ, デナーロ

052

0511 ☐	銀行	bank

◆「銀行員」は bancario／bancaria〖男/女〗バンカーリォ／バンカーリァ。

0512 ☐	紙幣	bill

◆「(空港などの) カウンター, 学校の学習机」は banco〖男〗バンコ。

0513 ☐	硬貨, コイン	coin

◆「貨幣, 通貨」という意味でも使う。

0514 ☐	ドル	dollar

◆「円《通貨》」は yen〖男無変〗イェン。「セント」は centesimo〖男〗チェンテーズィモ。

0515 ☐	両替	exchange

0516 ☐	郵便局	post office

◆ posta〖女〗ポスタ「郵便, 郵便局」も用いる。

0517 ☐	ポスト	mailbox

◆「郵便番号」は codice postale〖男〗コーディチェ ポスターレ (または CAP)。

0518 ☐	航空便	airmail

0519 ☐	速達	express

◆「エスプレッソ (コーヒー)」「急行 (列車)」という意味でも使う。

0520 ☐	小包	parcel

女 **banca**

バンカ

女 **banconota**

バンコノータ

女 **moneta**

モネータ

男 **dollaro**

ドッラロ

男 **cambio**

カンビオ

男 **ufficio postale**

ウッフィーチョ ポスターレ

女 **cassetta postale**

カッセッタ ポスターレ

女 **posta aerea**

ポスタ アエーレア

男 **espresso**

エスプレッソ

男 **pacco**

パッコ

053

0521 ☐	手紙，文字	letter

0522 ☐	はがき	postcard

0523 ☐	切手	stamp

0524 ☐	封筒	envelope

◆注意：busto〖男〗は「上半身，胸像」。

0525 ☐	差出人	sender

0526 ☐	受取人　〖男／女〗	recipient

0527 ☐	名前（ファーストネーム）	first name

0528 ☐	名前（姓，名字）	last name

0529 ☐	電話番号	telephone number

0530 ☐	身分証明書	identification

女	**lettera**
	レッテラ

女	**cartolina**
	カルトリーナ

男	**francobollo**
	フランコボッロ

女	**busta**
	ブスタ

男女同	**mittente**
	ミッテンテ

男/女	**destinatario / destinataria**
	デスティナターリォ / デスティナターリァ

男	**nome**
	ノーメ

男	**cognome**
	コンニョーメ

男	**numero di telefono**
	ヌーメロ ディ テレーフォノ

女	**carta d'identità**
	カルタ ディデンティター

0531 ☐	交通	traffic

◆「渋滞」という意味でも使う。「交通機関, 運送」は trasporto 【男】トラスポルト。

0532 ☐	道	street

0533 ☐	大通り	avenue

◆「並木道」という意味でも使う。「通り」は via 【女】ヴィーア。

0534 ☐	角 〈かど〉	corner

0535 ☐	交差点	intersection

0536 ☐	歩行者	pedestrian

0537 ☐	横断歩道	crosswalk

◆ zebre 【女複】ゼーブレ とも言う (zebra 【女単】で「シマウマ」の意味)。

0538 ☐	信号 《交通》	traffic light

0539 ☐	橋	bridge

0540 ☐	停留所	stop

◆「(音楽用語の)フェルマータ」は通常 corona 【女】コローナ (「王冠」の意) と呼ぶ。

男 **traffico**

トラッフィコ

女 **strada**

ストラーダ

男 **viale**

ヴィアーレ

男 **angolo**

アンゴロ

男 **incrocio**

インクローチョ

男 **pedone**

ペドーネ

男 **attraversamento pedonale**

アットラヴェルサメント ペドナーレ

男 **semaforo**

セマーフォロ

男 **ponte**

ポンテ

女 **fermata**

フェルマータ

0541 ☐	自転車	bicycle, bike

0542 ☐	バイク，オートバイ	motorcycle

0543 ☐	車，自動車	car

◆ macchina は「機械」という意味でも使う。

0544 ☐	トラック	truck

0545 ☐	タクシー	taxi

0546 ☐	バス	bus

◆「観光バス，路線バス」は pullman〔男無変〕プルマン。

0547 ☐	乗客 〔男／女〕	passenger

0548 ☐	運転手	driver

0549 ☐	駐車場	parking

0550 ☐	(運転) 免許証	(driver's) license

女[女無変]	**bicicletta [bici]**	
	ビチクレッタ［ビーチ］	
女[女無変]	**motocicletta [moto]**	
	モトチクレッタ［モート］	
女, 女[女無変]	**macchina, automobile [auto]**	
	マッキナ，アウトモービレ［アウト］	
男無変, 男	**camion, autocarro**	
	カーミオン，アウトカッロ	
男無変, 男無変	**taxi, tassì**	
	タークシ，タッスィー	
男無変	**autobus**	
	アウトブス	
男/女	**passeggero / passeggera**	
	パッセッジェーロ ／ パッセッジェーラ	
男女同	**autista**	
	アウティースタ	
男	**parcheggio**	
	パルケッジョ	
女	**patente (di guida)**	
	パテンテ（ディ グイーダ）	

0551 □	高速道路	expressway

| 0552 □ | 騒音 | noise |

◆「静けさ，沈黙」は silenzio 【男】スィレンツィオ。

| 0553 □ | ガソリンスタンド | gas station |

◆「ガソリン」は benzina 【女】ベンズィーナ。

| 0554 □ | 駅 | station |

| 0555 □ | （プラット）ホーム | platform |

◆ marciapiede は「歩道」の意。「線路, レール, 番線」の binario 【男】ビナーリオ も用いる。

| 0556 □ | 数，番号 | number |

◆「数字」は cifra 【女】チーフラ。 数字の表現は p.208〜209 を参照。

| 0557 □ | 電車，列車 | train |

| 0558 □ | 地下鉄 | subway |

| 0559 □ | 路面電車 | tram |

| 0560 □ | 特急列車 | limited express |

◆「速い」【形】という意味でも使う。

女	**autostrada**

アウトストラーダ

男	**rumore**

ルモーレ

女	**stazione di servizio**

スタツィオーネ ディ セルヴィーツィオ

女	**stazione**

スタツィオーネ

女, 男	**banchina, marciapiede**

バンキーナ, マルチャピエーデ

男	**numero**

ヌーメロ

男	**treno**

トレーノ

女[女無変], 男無変	**metropolitana [metro], metrò**

メトロポリターナ [メートロ], メトロー

男無変	**tram**

トラーム

男	**rapido**

ラービド

0561 ☐	往復	round trip

0562 ☐	運賃，料金	fare

0563 ☐	切符，チケット	ticket

0564 ☐	券売機	ticket machine

◆「切符・チケット売り場」は biglietteria 〖女〗ビッリェッテリーア。

0565 ☐	インフォメーション，案内所	information center

◆「オフィス，事務所」は ufficio 〖男〗ウッフィーチョ。

0566 ☐	遅延，遅れ	delay

0567 ☐	ストライキ	strike

0568 ☐	進歩	progress

◆⇔「後退，退歩」は regresso 〖男〗レグレッソ。

0569 ☐	規則，ルール	rule

0570 ☐	船	ship

◆「小船，ボート」は barca 〖女〗バルカ。

andata e ritorno

アンダータ エ リトルノ

女 **tariffa**

タリッファ

男 **biglietto**

ビッリェット

女, 女 **biglietteria automatica, emettitrice**

ビッリェッテリーア アウトマーティカ, エメッティトリーチェ

男 **ufficio informazioni**

ウッフィーチョ インフォルマツィオーニ

男 **ritardo**

リタルド

男 **sciopero**

ショーペロ

男 **progresso**

プログレッソ

女 **regola**

レーゴラ

女 **nave**

ナーヴェ

0571 ☐	港	port

◆注意：porta 『女』は「ドア」。

0572 ☐	空港	airport

0573 ☐	飛行機	plane

◆aereo は『形』で「大気の，空中の」。「翼」は ala 『女』アーラ（複数形は (le) ali 『女複』）。

0574 ☐	パイロット	pilot

0575 ☐	フライト	flight

◆「欠航」は volo cancellato 『男』ヴォーロ カンチェッラート。

0576 ☐	客室乗務員	flight attendant

◆「国内[国際]線」volo nazionale [internazionale] 『男』ヴォーロ ナツィオナーレ[インテルナツィオナーレ]。

0577 ☐	座席	seat

◆「(機内の)窓」は finestrino 『男』フィネストリーノ，「通路，廊下」は corridoio 『男』コッリドーイオ。

0578 ☐	シートベルト	seat belt

◆sicurezza 『女』は「安全」，cintura 『女』は「ベルト」。

0579 ☐	離陸	take off

◆「乗り継ぎ」は coincidenza 『女』コインチデンツァ（「一致」という意味でも使う）。

0580 ☐	着陸	landing

◆「トランジット」は transito 『男』トランスィト。

男	**porto**
	ポルト

男	**aeroporto**
	アエロポルト

男, 男	**aereo, aeroplano**
	アエーレオ， アエロプラーノ

男女同	**pilota**
	ピロータ

男	**volo**
	ヴォーロ

男女同	**assistente di volo**
	アッスィステンテ ディ ヴォーロ

男	**posto**
	ポスト

女	**cintura di sicurezza**
	チントゥーラ ディ スィクレッツァ

男	**decollo**
	デコッロ

男	**atterraggio**
	アッテッラッジョ

0581 ☐	出発	departure

0582 ☐	到着	arrival

0583 ☐	搭乗券	boarding pass

◆「搭乗，乗船」は imbarco [男] インバルコ。

0584 ☐	手荷物	baggage

0585 ☐	カート	cart

◆「ショッピングカート」という意味でも使う。

0586 ☐	パスポート	passport

0587 ☐	出入国審査	passport control

◆ controllo [男] は「点検，検査，コントロール」。

0588 ☐	保安検査	security check

◆ sicurezza [女] は「安全」。

0589 ☐	税関	customs

0590 ☐	検疫	quarantine

◆ 歴史上，ヴェネツィアなどで "40日間" の隔離期間が設けられていたことに由来する。

女	**partenza**
	パルテンツァ

男	**arrivo**
	アッリーヴォ

女	**carta d'imbarco**
	カルタ ディンバルコ

男	**bagaglio a mano**
	バガッリォ ア マーノ

男	**carrello**
	カッレッロ

男	**passaporto**
	パッサポルト

男	**controllo passaporti**
	コントロッロ パッサポルティ

男	**controllo di sicurezza**
	コントロッロ ディ スィクレッツァ

女	**dogana**
	ドガーナ

女	**quarantena**
	クアランテーナ

0591 ☐	外国 (の)	abroad

0592 ☐	外国人　[男／女]	a person from abroad

◆形容詞で「外国の」という意味でも使われる。

0593 ☐	ビザ	visa

0594 ☐	大使館	embassy

0595 ☐	旅行	trip

◆「小旅行，遠足」は gita [女] ジータ。

0596 ☐	ツアー旅行	tour

0597 ☐	観光	sightseeing

0598 ☐	観光客	tourist

0599 ☐	体験，経験	experience

0600 ☐	土産	souvenir

◆食品は含まない。「記憶，思い出」は ricordo [男] リコルド。

	年 月 日		年 月 日		年 月 日	
1	/10	2	/10	3	/10	60%

男・形	**estero**
	エステロ
男/女	**straniero / straniera**
	ストラニエーロ / ストラニエーラ
男	**visto**
	ヴィスト
女	**ambasciata**
	アンバッシャータ
男	**viaggio**
	ヴィアッジョ
男, 男無変	**viaggio organizzato, tour**
	ヴィアッジョ オルガニッザート, トゥール
男	**turismo**
	トゥリーズモ
男女同	**turista**
	トゥリースタ
女	**esperienza**
	エスペリエンツァ
男無変	**souvenir**
	スヴェニール

125

0601 ☐	地図	map

◆ mappa【女】マッパとも言う。 carta は「紙」という意味でも使う。

0602 ☐	パンフレット，小冊子	brochure

0603 ☐	ガイド	guide

0604 ☐	列	line

◆ 注意：filo【男】は「糸」。

0605 ☐	中心街	downtown

◆「中心，中央」という意味でも使う。「旧市街」は centro storico【男】チェントロ ストーリコ。

0606 ☐	地区	district

0607 ☐	教会	church

0608 ☐	大聖堂	cathedral

◆「聖堂」は basilica【女】バズィーリカ。

0609 ☐	礼拝堂，チャペル	chapel

◆「アカペラ」は a cappella。注意：cappello【男】は「帽子」。

0610 ☐	寺，神殿	temple

◆「神社」は santuario shintoista［scintoista］【男】サントゥアーリオ シントイスタ。

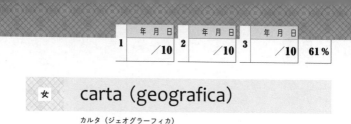
女	carta (geografica)
	カルタ（ジェオグラーフィカ）

男	opuscolo
	オプスコロ

女	guida
	グイーダ

女	fila
	フィーラ

男	centro
	チェントロ

男	quartiere
	クァルティエーレ

女	chiesa
	キエーザ

女, 男	cattedrale, duomo
	カッテドラーレ，ドゥオーモ

女	cappella
	カッペッラ

男；男複	tempio ; (i) templi
	テンピオ ： （イ）テンプリ

0611 ☐	城	castle

0612 ☐	塔，タワー	tower

0613 ☐	広場	square

0614 ☐	公園	park

◆ 町なかにある小さな「公園」は giardino pubblico 【男】ジャルディーノ プップリコ。

0615 ☐	噴水，泉	fountain

0616 ☐	ベンチ	bench

0617 ☐	街灯	street light

0618 ☐	大建造物，モニュメント	monument

0619 ☐	遺跡，廃墟	ruins

0620 ☐	大理石	marble

男 castello

カステッロ

女 torre

トッレ

女 piazza

ピアッツァ

男 parco

パルコ

女 fontana

フォンターナ

女 panchina

パンキーナ

男 lampione

ランピオーネ

男 monumento

モヌメント

女複 rovine

ロヴィーネ

男 marmo

マルモ

063

0621 ☐	建物	building

◆「ビル」は palazzo〔男〕パラッツォ。「建設, 建造」は costruzione〔女〕コストゥルツィオーネ。

0622 ☐	ホテル	hotel

◆「フロント」は reception〔女無変〕レセプション。

0623 ☐	予約	reservation

0624 ☐	シングル／ツイン ルーム	single／twin room

◆「ダブルルーム」は camera matrimoniale〔女〕カーメラ マトリモニアーレ。

0625 ☐	エレベーター	elevator

0626 ☐	エスカレーター	escalator

◆直訳すると「動かせる階段」。

0627 ☐	入口	entrance

◆「入場, 玄関」という意味でも使う。

0628 ☐	出口	exit

0629 ☐	非常口 《掲示》	Emergency Exit

◆emergenza〔女〕は「緊急［非常］事態」, sicurezza〔女〕は「安全」。

0630 ☐	注意	attention

男	**edificio**
	エディフィーチョ

男, 男無変	**albergo, hotel**
	アルベルゴ,　オテル

女	**prenotazione**
	プレノタツィオーネ

女, 女	**camera singola / camera doppia**
	カーメラ スィンゴラ / カーメラ ドッピア

男	**ascensore**
	アッシェンソーレ

女	**scala mobile**
	スカーラ モービレ

女	**entrata**
	エントラータ

女	**uscita**
	ウッシータ

女	**uscita di emergenza [sicurezza]**
	ウッシータ ディ エメルジェンツァ [スィクレッツァ]

女	**attenzione**
	アッテンツィオーネ

| 0631 ☐ | スポーツ | sports |

| 0632 ☐ | （スポーツ）選手 | player, athlete |

◆主に球技などゲームの「選手」は giocatore／giocatrice 〖男／女〗ジョカトーレ／ジョカトリーチェ。

| 0633 ☐ | チーム | team |

| 0634 ☐ | コーチ，監督　〖男／女〗 | coach |

◆「練習，トレーニング」は allenamento 〖男〗アッレナメント。

| 0635 ☐ | スタジアム，競技場 | stadium |

| 0636 ☐ | スコア | score |

◆「得点」は punto 〖男〗プント。

| 0637 ☐ | ファウル，反則 | foul |

| 0638 ☐ | 勝利，勝ち | victory |

| 0639 ☐ | 敗北，負け | defeat |

| 0640 ☐ | 試合 | match |

◆gara は「競技，レース」という意味でも使う。

男無変 sport

スポルトゥ

男女同 atleta

アトレータ

女 squadra

スクアードラ

男/女 allenatore / allenatrice

アッレナトーレ / アッレナトリーチェ

男 stadio

スターディオ

男 punteggio

プンテッジョ

男 fallo

ファッロ

女 vittoria

ヴィットーリァ

女 sconfitta

スコンフィッタ

女, 女 partita, gara

パルティータ, ガーラ

0641 ☐	選手権, 選手権大会	championship(s)

◆「リーグ戦」にも使う。「チャンピオン」は campione/campionessa 【男/女】カンピオーネ/カンピオネッサ。

0642 ☐	金, ゴールド	gold

◆「オリンピック」は Olimpiadi 【女複】オリンピーアディ。

0643 ☐	銀, シルバー	silver

0644 ☐	ブロンズ, 青銅	bronze

◆銅メダルの「銅」はこの語を用いる。「メダル」は medaglia 【女】メダッリャ。

0645 ☐	サポーター, ファン《スポーツ》【男/女】	supporter

0646 ☐	サッカー	soccer

◆「サッカー選手」は calciatore/calciatrice 【男/女】カルチャトーレ/カルチャトリーチェ。

0647 ☐	バレーボール	volleyball

◆「ボール」は palla 【女】パッラ。

0648 ☐	バスケットボール	basketball

◆ canestro 【男】は「バスケット, かご」。

0649 ☐	水泳	swimming

◆「水球」は pallanuoto 【女】パッラヌオート。

0650 ☐	プール	pool

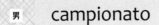

男	**campionato**
	カンピオナート

男	**oro**
	オーロ

男	**argento**
	アルジェント

男	**bronzo**
	ブロンゾ

男/女	**tifoso／tifosa**
	ティフォーゾ ／ ティフォーザ

男	**calcio**
	カルチョ

女	**pallavolo**
	パッラヴォーロ

女, 男無変	**pallacanestro, basket**
	パッラカネストロ, バスケットゥ

男	**nuoto**
	ヌオート

女	**piscina**
	ピッシーナ

0651 ☐	体操	gymnastics

0652 ☐	ダンス	dance

◆ danza はクラシカルな舞踊に用いられることが多い。

0653 ☐	スキー，スキー板	ski

0654 ☐	スケート	skating

0655 ☐	マラソン	marathon

0656 ☐	競技，レース	race

0657 ☐	自転車競技，サイクリング	cycling

0658 ☐	登山	mountaineering

0659 ☐	釣り，漁業	fishing

◆「桃」という意味でも使う。

0660 ☐	温泉	hot spring

女	**ginnastica**
	ジンナースティカ

女, 男	**danza, ballo**
	ダンツァ, バッロ

男無変	**sci**
	シ

男	**pattinaggio**
	パッティナッジョ

女	**maratona**
	マラトーナ

女	**gara**
	ガーラ

男	**ciclismo**
	チクリーズモ

男	**alpinismo**
	アルピニーズモ

女	**pesca**
	ペスカ

女複	**terme**
	テルメ

0661 ☐	趣味	hobby

0662 ☐	娯楽	entertainment

◆「趣味」という意味でも使う。

0663 ☐	興味，関心	interest

◆「利子，利益」という意味でも使う。

0664 ☐	余暇	leisure

◆ libero 〖形〗リーベロ は「自由な，暇な」。 tempo 〖男〗は「時間」。

0665 ☐	休息，休憩	rest

0666 ☐	散歩	walk

◆ ドライブなどにも用いる。 camminata 〖女〗カンミナータ は「散策」。

0667 ☐	バカンス，休暇	vacation

0668 ☐	招待，招待状	invitation

0669 ☐	客	guest

◆ 主に「来客」の意。「招待客」は invitato／invitata 〖男／女〗インヴィタート／インヴィタータ。

0670 ☐	メンバー	member

◆ 複数で「手足，四肢」という意味でも使う（この場合複数形は (le)membra 〖女複〗）。

男無変	**hobby**
	オッビ

男	**divertimento**
	ディヴェルティメント

男	**interesse**
	インテレッセ

男	**tempo libero**
	テンポ リーベロ

男	**riposo**
	リポーゾ

女	**passeggiata**
	パッセッジャータ

女	**vacanza**
	ヴァカンツァ

男	**invito**
	インヴィート

男女同	**ospite**
	オスピテ

男	**membro**
	メンブロ

068

0671 ☐	お祝い，祝賀	celebration

0672 ☐	賞，賞品	prize

0673 ☐	プレゼント	present

0674 ☐	バラ	rose

◆「ピンク色(の)」『男無変・形(無変化)』という意味でも使う。

0675 ☐	ヒマワリ	sunflower

◆ girare【動】は「回る」，sole【男】は「太陽」。

0676 ☐	チューリップ	tulip

0677 ☐	シャベル	shovel

0678 ☐	のこぎり	saw

0679 ☐	釘	nail

0680 ☐	ハンマー	hammer

女	celebrazione
	チェレブラツィオーネ

男	premio
	プレーミオ

男	regalo
	レガーロ

女	rosa
	ローザ

男	girasole
	ジラソーレ

男	tulipano
	トゥリパーノ

女	pala
	パーラ

女	sega
	セーガ

男	chiodo
	キオード

男	martello
	マルテッロ

069

0681 ☐	映画館	movie theater

◆ 総称的に「映画」という意味でも使う。「映画」は film〚男無変〛フィルム も用いる。

0682 ☐	劇場，演劇	theater

◆「ショー，見せ物，上演」は spettacolo〚男〛スペッターコロ。

0683 ☐	上演	performance

◆「上映」や「表現，描写」という意味でも使う。

0684 ☐	場面，シーン	scene

0685 ☐	舞台	stage

0686 ☐	傑作	masterpiece

◆ capo〚男〛は「頭，トップ」， lavoro〚男〛は「作品，仕事」。

0687 ☐	喜劇	comedy

◆ *La Divina Commedia* は『神曲』(ダンテ)。「悲劇」は tragedia〚女〛トラジェーディア。

0688 ☐	俳優 〚男／女〛	actor

0689 ☐	クローク	cloakroom

0690 ☐	コンサート	concert

◆「コンチェルト (協奏曲)」という意味でも使う。

男無変[男] cinema [cinematografo]

チーネマ [チネマトーグラフォ]

男 teatro

テアートロ

女 rappresentazione

ラップレゼンタツィオーネ

女 scena

シェーナ

男 palcoscenico

パルコッシェーニコ

男 capolavoro

カポラヴォーロ

女 commedia

コンメーディア

男/女 attore / attrice

アットーレ / アットリーチェ

男 guardaroba

グアルダローバ

男 concerto

コンチェルト

0691 ☐	音楽	music

◆「音，響き」は suono [男] スオーノ。

0692 ☐	音楽家	musician

0693 ☐	歌	song

◆「カンツォーネ (イタリアの大衆歌曲)」という意味でも使う。

0694 ☐	歌手	singer

0695 ☐	指揮者　[男／女]	conductor

◆ maestro／maestra [男／女] マエストロ／マエストラ とも言う。

0696 ☐	オーケストラ	orchestra

0697 ☐	楽器	(musical) instrument

◆ strumento [男] ストゥルメント は「道具，器具」。

0698 ☐	ピアノ	piano

◆「ピアニスト」は pianista [男女同] ピアニースタ。

0699 ☐	バイオリン	violin

0700 ☐	ギター	guitar

女	**musica**

ムーズィカ

男女同	**musicista**

ムズィチースタ

女	**canzone**

カンツォーネ

男女同	**cantante**

カンタンテ

男/女	**direttore/direttrice d'orchestra**

ディレットーレ／ディレットリーチェ ドルケストラ

女	**orchestra**

オルケストラ

男	**strumento musicale**

ストゥルメント ムズィカーレ

男[男]	**pianoforte [piano]**

ピアノフォルテ［ピアーノ］

男	**violino**

ヴィオリーノ

女	**chitarra**

キタッラ

0701 ☐	芸術，美術	art

0702 ☐	芸術家	artist

◆「工芸家，職人」は artigiano／artigiana〔男／女〕アルティジャーノ／アルティジャーナ。

0703 ☐	文化，教養	culture

0704 ☐	博物館，美術館	museum

◆「美術館，ギャラリー」は galleria〔女〕ガッレリーア も用いる。

0705 ☐	展覧会	exhibition

◆注意：mostro〔男〕は「怪物，モンスター」。

0706 ☐	コレクション，収集	collection

0707 ☐	作品，著作，仕事	work

◆「オペラ，歌劇」は opera (lirica)〔女〕オーペラ（リーリカ）。

0708 ☐	主題，テーマ	subject

◆tema の複数形は temi〔男複〕。

0709 ☐	絵画	painting

◆pittura は絵画全般，dipinto は主に彩色画，quadro は額縁に入った額絵を指す。

0710 ☐	画家 〔男／女〕	painter

女	arte

アルテ

男女同	artista

アルティースタ

女	cultura

クルトゥーラ

男	museo

ムゼーオ

女	mostra

モストラ

女	collezione

コッレツィオーネ

女	opera

オーペラ

男, 男	soggetto, tema

ソッジェット, テーマ

女, 男, 男	pittura, dipinto, quadro

ピットゥーラ, ディピント, クアードロ

男/女	pittore / pittrice

ピットーレ / ピットリーチェ

0711 □	彫刻	sculpture

0712 □	写真	photograph

◆「肖像，肖像画」は ritratto [男] リトラット。

0713 □	建築	architecture

◆「建築家」は architetto／architetta [男／女] アルキテット／アルキテッタ。

0714 □	修復	restoration

0715 □	本	book

0716 □	作家 [男／女]	writer

◆「著者」は autore／autrice [男／女] アウトーレ／アウトリーチェ。

0717 □	小説	novel

0718 □	漫画	comic

◆fumetti [男複] で漫画の吹き出しの意味もある。

0719 □	雑誌	magazine

0720 □	記事，（雑誌）論文	article

◆「冠詞」や「品物，商品」という意味でも使う。

女	**scultura**
	スクルトゥーラ

女 [女無変]	**fotografia [foto]**
	フォトグラフィーア [フォート]

女	**architettura**
	アルキテットゥーラ

男	**restauro**
	レスタウロ

男	**libro**
	リーブロ

男/女	**scrittore / scrittrice**
	スクリットーレ / スクリットリーチェ

男	**romanzo**
	ロマンゾ

男	**fumetto**
	フメット

女	**rivista**
	リヴィスタ

男	**articolo**
	アルティーコロ

0721 □	新聞	newspaper

0722 □	記者，ジャーナリスト	journalist

◆「ジャーナリズム」は giornalismo【男】ジョルナリーズモ。

0723 □	ニュース，報道	news

0724 □	レポート，報告(書)	report

◆relazione【女】レラツィオーネ，resoconto【男】レゾコント も用いられる。

0725 □	情報	information

0726 □	真実	truth

0727 □	テレビ	television

◆「リモコン」は telecomando【男】テレコマンド。

0728 □	ラジオ	radio

0729 □	番組	program

◆「プログラム，計画，カリキュラム」という意味でも使う。

0730 □	宣伝，広告	advertisement

◆「コマーシャル」という意味でも使う。

男	**giornale**
	ジョルナーレ

男女同	**giornalista**
	ジョルナリースタ

女	**notizia**
	ノティーツィア

男	**rapporto**
	ラッポルト

女	**informazione**
	インフォルマツィオーネ

女無変	**verità**
	ヴェリター

女無変 [女]	**tv [televisione]**
	ティヴー [テレヴィズィオーネ]

女無変 [女]	**radio [radiofonia]**
	ラーディオ [ラディオフォニーア]

男；男複	**programma ; programmi**
	プログランマ ； プログランミ

女無変	**pubblicità**
	ップブリチター

0731 ☐	電話	phone

0732 ☐	携帯電話	cellphone

◆「スマートフォン」は smartphone 【男無変】ズマルトフォン。

0733 ☐	ノートパソコン	laptop (computer)

◆「デスクトップパソコン」は (computer) desktop 【男無変】(コンピューテル) デスクトップ。

0734 ☐	キーボード	keyboard

0735 ☐	インターネット	Internet

0736 ☐	検索	search

◆「研究」という意味でも使う。

0737 ☐	メール	e-mail

◆ email という表記もある。

0738 ☐	データ	data

0739 ☐	科学	science

0740 ☐	テクノロジー，科学技術	technology

◆「技術，技法」は tecnica 【女】テクニカ。

男 **telefono**

テレーフォノ

男, 男 **cellulare, telefonino**

チェッルラーレ， テレフォニーノ

男 **(computer) portatile**

（コンピューテル） ポルターティレ

女 **tastiera**

タスティエーラ

女無変 **Internet**

インテルネットゥ

女 **ricerca**

リチェルカ

女無変 **e-mail**

イメイル

男複 **dati**

ダーティ

女 **scienza**

シェンツァ

女 **tecnologia**

テクノロジーア

0741 ☐	学校	school

0742 ☐	小学校	elementary school

◆ elementare【形】は「初歩の，基礎の」。

0743 ☐	中学校	middle school

◆ medio【形】は「中間の」。media【女】メディアは「平均」（【男複】で使うとき「マス・メディア」）。

0744 ☐	幼稚園	kindergarten

0745 ☐	高校	high school

0746 ☐	（総合）大学	university

0747 ☐	クラス，階級	class

0748 ☐	教育	education

0749 ☐	知識	knowledge

◆「知人」は conoscente【男女同】コノッシェンテ。

0750 ☐	勉強	study

◆「研究，書斎，習作」などの意味でも使う。

	年 月 日		年 月 日		年 月 日	
1	/10	2	/10	3	/10	75 %

女 scuola

スクオーラ

女 scuola elementare

スクオーラ エレメンターレ

女 scuola media

スクオーラ メーディア

男 asilo d'infanzia

アズィーロ ディンファンツィア

男, 女 liceo, scuola superiore

リチェーオ, スクオーラ スペリオーレ

女無変 università

ウニヴェルスィター

女 classe

クラッセ

女 istruzione

イストゥルツィオーネ

女 conoscenza

コノッシェンツァ

男 studio

ストゥーディオ

0751 ☐	(小・中学校の) 生徒 〚男/女〛	student

◆ allievo/allieva 〚男/女〛アッリエーヴォ／アッリエーヴァ も用いる (「弟子」の意味もある)。

0752 ☐	学生 〚男/女〛	student

0753 ☐	(伊：中学以上の) 先生，教授 〚男/女〛	professor

◆「(小学校の) 先生」は maestro/maestra 〚男/女〛マエストロ／マエストラ。

0754 ☐	教師	teacher

◆「先生」という呼びかけには maestro[-a] と professore[-essa] を用いる。

0755 ☐	教室	classroom

0756 ☐	図書館	library

0757 ☐	教科書	textbook

◆ testo 〚男〛は「本文，テクスト」という意味でも使う。 libro 〚男〛は「本」。

0758 ☐	宿題	homework

0759 ☐	寮	dormitory

◆「学生寮」は casa dello studente 〚女〛カーザ デッロ ストゥデンテ。

0760 ☐	(大学，職場などの) 食堂	cafeteria

	年 月 日		年 月 日		年 月 日	
1	/**10**	**2**	/**10**	**3**	/**10**	**76%**

男/女	alunno / alunna
	アルンノ / アルンナ

男/女	studente / studentessa
	ストゥデンテ / ストゥデンテッサ

男/女	professore / professoressa
	プロフェッソーレ / プロフェッソレッサ

男女同	insegnante
	インセンニャンテ

女	aula
	アウラ

女	biblioteca
	ビブリオテーカ

男	(libro di) testo
	(リーブロ ディ) テスト

男複	compiti
	コンピティ

男	dormitorio
	ドルミトーリォ

女	mensa
	メンサ

0761 ☐	授業	lesson

0762 ☐	（大学の）学部	faculty

0763 ☐	教科，科目	subject

◆「物質，原料（マテリアル）」という意味でも使う。

0764 ☐	（連続的な）講座，講義	course

◆「（川や時の）流れ」という意味でも使う。

0765 ☐	ゼミ，演習	seminar

◆「神学校」という意味でも使う。

0766 ☐	出席	attendance

0767 ☐	欠席，不在	absence

0768 ☐	テスト，試験	exam, test

◆ prova は学業以外の場面でも広く用いる（「リハーサル」という意味でも使う）。

0769 ☐	論文（卒業・学位論文など）	thesis

◆「卒業論文」は tesi di laurea 【女無変】テーズィ ディ ラウレア（laurea 【女】は「学位」）。

0770 ☐	卒業証書，学位	diploma

◆「外交」は diplomazia 【女】ディプロマツィーア。

女	lezione
	レツィオーネ

女無変	facoltà
	ファコルター

女	materia
	マテーリア

男	corso
	コルソ

男	seminario
	セミナーリォ

女	presenza
	プレゼンツァ

女	assenza
	アッセンツァ

男, 女	esame, prova
	エザーメ，プローヴァ

女無変	tesi
	テーズィ

男；男複	diploma；diplomi
	ディプローマ；ディプローミ

078

0771 ☐	練習（問題）	exercise

0772 ☐	質問	question

◆「要求」という意味でも使う。

0773 ☐	解答，返事	answer

0774 ☐	結果	result

0775 ☐	発見	discovery

0776 ☐	説明	explanation

0777 ☐	誤り，間違い	mistake

0778 ☐	なぜ	why

◆「いつ」は quando [疑問副詞] クワンド，「どこ」は dove [疑問副詞] ドーヴェ。

0779 ☐	物	thing

◆ che cosa ケコーザ（どちらかを省略可）で「何が，何を」[疑問代名詞]。

0780 ☐	場所	place

男	esercizio
	エゼルチーツィオ

女	domanda
	ドマンダ

女, 女	risposta, soluzione
	リスポスタ， ソルツィオーネ

男	risultato
	リズルタート

女	scoperta
	スコペルタ

女	spiegazione
	スピエガツィオーネ

男, 男	sbaglio, errore
	スバッリォ， エッローレ

疑問副	perché
	ペルケー

女	cosa
	コーザ

男	luogo
	ルオーゴ

0781 ☐	化学	chemistry

0782 ☐	物理学	physics

0783 ☐	数学	math

0784 ☐	法学	jurisprudence

0785 ☐	哲学	philosophy

0786 ☐	文学，文献	literature

◆「読書」は lettura [女] レットゥーラ。

0787 ☐	歴史	history

◆「物語」という意味でも使う。

0788 ☐	古代	ancient times

◆「昔の，古代の」は antico [形] アンティーコ。「文明」は civiltà [女無変] チヴィルター。

0789 ☐	中世	medieval times

0790 ☐	近代	modern times

◆ età [女無変] は「時代」や「年齢」という意味でも使う。

女 chimica

キーミカ

女 fisica

フィーズィカ

女 matematica

マテマーティカ

女 giurisprudenza

ジュリスプルデンツァ

女 filosofia

フィロゾフィーア

女 letteratura

レッテラトゥーラ

女 storia

ストーリァ

女無変 antichità

アンティキター

男 medioevo

メディオエーヴォ

女無変 età moderna

エター モデルナ

0791 □
イタリア人，イタリアの　　　Italian

◆「イタリア語」という意味でも使う（この場合男性単数のみ）。

0792 □
日本語，日本人，日本の　　　Japanese

◆「日本語」として用いる場合は男性単数のみ，「日本人」の意味では男女同形。

0793 □
英語，イギリス人，イギリスの　English

◆「英語」として用いる場合は男性単数のみ，「イギリス人」の意味では男女同形。

0794 □
翻訳　　　　　　　　　　　translation

◆「通訳，通訳者」は interprete 〖男女同〗インテルプレテ。

0795 □
辞書　　　　　　　　　　　dictionary

0796 □
意味　　　　　　　　　　　meaning

◆「意義」という意味でも使う。

0797 □
単語，言葉　　　　　　　　word

0798 □
文　　　　　　　　　　　　sentence

◆「語句，フレーズ」という意味でも使う。

0799 □
様式，文体　　　　　　　　style

0800 □
詩　　　　　　　　　　　　poetry

◆「詩人」は poeta／poetessa 〖男／女〗ポエータ／ポエテッサ。

	年 月 日		年 月 日		年 月 日	
1	/10	**2**	/10	**3**	/10	**80%**

男/女・形	**italiano / italiana**	
	イタリアーノ / イタリアーナ	
男・形 (男女同)	**giapponese**	
	ジャッポネーゼ	
男・形 (男女同)	**inglese**	
	イングレーゼ	
女	**traduzione**	
	トラドゥツィオーネ	
男, 男	**dizionario, vocabolario**	
	ディツィオナーリォ, ヴォカボラーリォ	
男	**significato**	
	スィンニフィカート	
女	**parola**	
	パローラ	
女	**frase**	
	フラーゼ	
男	**stile**	
	スティーレ	
女	**poesia**	
	ポエズィーア	

165

0801 ☐	文法	grammar

0802 ☐	発音	pronunciation

0803 ☐	アクセント	accent

0804 ☐	方言	dialect

0805 ☐	例，見本，手本	example

0806 ☐	紙	paper

◆ carte [女複] で「トランプ」。

0807 ☐	メモ	memo

0808 ☐	ノート	notebook

◆「手帳，メモ帳」は taccuino [男] タックイーノ。

0809 ☐	ペン	pen

◆「羽，羽毛」という意味でも使う。

0810 ☐	インク	ink

◆「墨」という意味でも使う。

女	**grammatica**
	グランマーティカ

女	**pronuncia**
	プロヌンチャ

男	**accento**
	アッチェント

男	**dialetto**
	ディアレット

男	**esempio**
	エゼンピォ

女	**carta**
	カルタ

男, 女	**appunto, nota**
	アップント，ノータ

男	**quaderno**
	クアデルノ

女	**penna**
	ペンナ

男	**inchiostro**
	インキオストロ

0811 ☐	鉛筆	pencil

0812 ☐	消しゴム	eraser

◆「ゴム，ガム」という意味でも使う。

0813 ☐	定規	ruler

0814 ☐	はさみ	scissors

0815 ☐	仕事	job

0816 ☐	労働者　［男／女］	worker

◆ 工場や現場の「労働者」は operaio／operaia ［男／女］オペラーイォ／オペラーイア。

0817 ☐	職業	occupation

◆「失業」は disoccupazione ［女］ディゾックパツィオーネ。

0818 ☐	事業，企業	enterprise

0819 ☐	会社，企業	company

◆ compagnia ［女］コンパンニーア，azienda ［女］アズィエンダ も用いられる。

0820 ☐	公務員　［男／女］	government worker

◆ pubblico ［形］プッブリコ は「公共の，公の」（⇔ privato ［形］プリヴァート「私的な」）。

女	matita
	マティータ

女	gomma
	ゴンマ

男	righello
	リゲッロ

女複	forbici
	フォルビチ

男	lavoro
	ラヴォーロ

男/女	lavoratore / lavoratrice
	ラヴォラトーレ / ラヴォラトリーチェ

女	occupazione
	オックパツィオーネ

女	impresa
	インプレーザ

女無変, 女	società, ditta
	ソチェター, ディッタ

男/女	funzionario pubblico / funzionaria pubblica
	フンツィオナーリォ プッブリコ / フンツィオナーリァ プッブリカ

0821 ☐	サラリーマン，会社員　〖男／女〗	employee

0822 ☐	同僚	colleague

0823 ☐	部長，所長　〖男／女〗	director

◆ capo〖男〗カーポ（頭）も，「長，トップ，ボス」という意味で用いる。

0824 ☐	秘書　〖男／女〗	secretary

◆「秘密，機密」は segreto〖男〗セグレート。

0825 ☐	アシスタント	assistant

0826 ☐	経歴	career

0827 ☐	本部，本社，本店	headquarters

0828 ☐	支部，支店	branch

0829 ☐	昇進	promotion

◆「プロモーション」という意味でも使う。

0830 ☐	辞職	resignation

	年 月 日		年 月 日		年 月 日	
1	/**10**	**2**	/**10**	**3**	/**10**	**83%**

男/女	impiegato / impiegata
	インピエガート / インピエガータ

男女同	collega
	コッレーガ

男/女	direttore / direttrice
	ディレットーレ / ディレットリーチェ

男/女	segretario / segretaria
	セグレターリォ / セグレターリァ

男女同	assistente
	アッスィステンテ

女	carriera
	カッリエーラ

女	sede centrale
	セーデ チェントラーレ

女	filiale
	フィリアーレ

女	promozione
	プロモツィオーネ

女複	dimissioni
	ディミッスィオーニ

0831 ☐	給料	salary

◆主に肉体労働者の「給料」は salario【男】サラーリォ。

0832 ☐	支払い	payment

0833 ☐	会議	meeting

0834 ☐	問題	problem

0835 ☐	理由，理性	reason

◆「原因」は causa【女】カウザ。「動機，モチーフ」は motivo【男】モティーヴォ。

0836 ☐	意見	opinion

0837 ☐	決定，決心	decision

0838 ☐	批評，批判	criticism

0839 ☐	信頼，信用	trust

0840 ☐	嘘	lie

男 stipendio

スティペンディオ

男 pagamento

パガメント

女 riunione

リウニオーネ

男;男複 problema ; problemi

プロブレーマ ; プロブレーミ

女 ragione

ラジョーネ

女 opinione

オピニオーネ

女 decisione

デチズィオーネ

女 critica

クリーティカ

女 fiducia

フィドゥーチャ

女 bugia

ブジーア

085

| 0841 | 書類，文書 | document |

◆ documento は公文書, 記録, 資料など。carte はより広義の書類, 文書に用いる。

| 0842 | 確認 | confirmation |

| 0843 | 交渉 | negotiation |

| 0844 | 合意，協定 | agreement |

◆ D'accordo! ダッコルド で「賛成！」。

| 0845 | 契約，契約書 | contract |

| 0846 | 署名，サイン | signature |

◆ 有名人のサインは autografo【男】アウトーグラフォ を用いる。

| 0847 | 利益 | profit |

| 0848 | 税金 | tax |

| 0849 | 投資 | investment |

| 0850 | 経済 | economy |

◆「経済学」という意味でも使う。「経済的な, 安い」は economico【形】エコノーミコ。

男, 女複	**documento, carte**	ドクメント，カルテ
女	**conferma**	コンフェルマ
女	**trattativa**	トラッタティーヴァ
男	**accordo**	アッコルド
男	**contratto**	コントラット
女	**firma**	フィルマ
男	**profitto**	プロフィット
女, 女	**tassa, imposta**	タッサ，インポスタ
男	**investimento**	インヴェスティメント
女	**economia**	エコノミーア

0851 ☐	輸入	import

0852 ☐	輸出	export

0853 ☐	取引	transaction

0854 ☐	工業，産業	industry

0855 ☐	石炭	coal

0856 ☐	石油	petroleum

0857 ☐	（天然）ガス	(natural) gas

0858 ☐	鉄	iron

◆「鉄道，線路」は ferrovia 〖女〗フェッロヴィーア（via ヴィーア〖女〗は「道，通り」）。

0859 ☐	鋼，スチール	steel

0860 ☐	プラスチック	plastic

女	**importazione**
	インポルタツィオーネ

女	**esportazione**
	エスポルタツィオーネ

女	**transazione**
	トランザツィオーネ

女	**industria**
	インドゥーストゥリァ

男	**carbone**
	カルボーネ

男	**petrolio**
	ペトローリォ

男無変	**gas (naturale)**
	ガス（ナトゥラーレ）

男	**ferro**
	フェッロ

男	**acciaio**
	アッチャイォ

女	**plastica**
	プラースティカ

0861	工場	factory

0862	製品，生産物	product

◆「手工業製品」は manufatto 〖男〗マヌファット。

0863	サンプル，見本	sample

◆「チャンピオン」という意味でも使う。

0864	質，品質	quality

0865	量，数量	quantity

0866	農家　〖男／女〗	farmer

◆「農業」は agricoltura 〖女〗アグリコルトゥーラ。

0867	漁師，釣り人　〖男／女〗	fisherman

◆「漁業」は pesca 〖女〗ペスカ。

0868	エンジニア　〖男／女〗	engineer

0869	名人，達人　〖男／女〗	master

◆ 形容詞で「熟練した」。maestro/maestra 〖男/女〗も使う（「(小学校の)先生」の意味もある）。

0870	伝統，慣例	tradition

女	**fabbrica**
	ファッブリカ

男	**prodotto**
	プロドット

男	**campione**
	カンピオーネ

女無変	**qualità**
	クアリター

女無変	**quantità**
	クアンティター

男, 男/女	**agricoltore, contadino/contadina**
	アグリコルトーレ, コンタディーノ / コンタディーナ

男/女	**pescatore / pescatrice**
	ペスカトーレ / ペスカトリーチェ

男/女	**ingegnere / ingegnera**
	インジェンニェーレ / インジェンニェーラ

男/女	**esperto / esperta**
	エスペルト / エスペルタ

女	**tradizione**
	トラディツィオーネ

0871 ☐	宗教	religion

0872 ☐	キリスト教	Christianity

◆「キリスト」は Cristo 〖男(固名)〗クリースト。「イエス」は Gesù 〖男(固名)〗ジェズー。

0873 ☐	イスラム教	Islam

0874 ☐	仏教	Buddhism

0875 ☐	聖書	Bible

0876 ☐	神／女神	god／goddess

◆ 複数形は (gli) dei／(le) dee。 キリスト教の「神」は大文字で Dio とする。

0877 ☐	世界	world

0878 ☐	人々	people

◆「人々」の意味で用いる場合は無変化。

0879 ☐	祖国	homeland

◆「愛国心」は patriottismo 〖男〗パトリオッティーズモ。

0880 ☐	村	village

女	**religione**
	レリジョーネ

男	**cristianesimo**
	クリスティアネーズィモ

男無変	**Islam**
	イズラム

男	**buddismo**
	ブッディーズモ

女	**Bibbia**
	ビッビア

男/女	**dio / dea**
	ディーオ / デーア

男	**mondo**
	モンド

女	**gente**
	ジェンテ

女	**patria**
	パートリア

男	**villaggio**
	ヴィッラッジョ

0881		
☐	国，国家，地方，田舎	country

◆「国, 国家」の時しばしば大文字 P-。il Bel Paese イルベルパエーゼ で「イタリア」を指す。

0882		
☐	国民，国家	nation

◆ stato 【男】スタート は「国家, 政体, 状態」。

0883		
☐	国籍	nationality

◆ cittadinanza 【女】チッタディナンツァ は「国籍, 市民権」。

0884		
☐	都市，町	city, town

◆「市民」は cittadino／cittadina 【男／女】チッタディーノ／チッタディーナ。

0885		
☐	住民，住人	inhabitant

0886		
☐	人口，(集合的に) 住民	population

0887		
☐	(外からの) 移民	immigration

◆「(外からの) 移民《人》」は immigrante 【男女同】インミグランテ。

0888		
☐	(外への) 移民	emigration

◆「(外への) 移民《人》」は emigrante 【男女同】エミグランテ。

0889		
☐	共和国，共和制	republic

◆ la Repubblica (italiana) で「イタリア共和国」。

0890		
☐	君主国，君主制	monarchy

◆「王国」は regno 【男】レンニョ，「王／女王」は re／regina 【男無変／女】レ／レジーナ。

男	**paese**
	パエーゼ

女	**nazione**
	ナツィオーネ

女無変	**nazionalità**
	ナツィオナリター

女無変	**città**
	チッター

男女同	**abitante**
	アビタンテ

女	**popolazione**
	ポポラツィオーネ

女	**immigrazione**
	インミグラツィオーネ

女	**emigrazione**
	エミグラツィオーネ

女	**repubblica**
	レップブリカ

女	**monarchia**
	モナルキーア

0891 ☐	日本	Japan

◆「日出づる国」(日本のこと) は Sol Levante [男] ソル レヴァンテ。

0892 ☐	イタリア	Italy

0893 ☐	ヨーロッパ	Europe

◆「ユーロ《通貨》」は euro [男無変] エウロ。

0894 ☐	アメリカ合衆国	The U.S.

0895 ☐	中国	China

0896 ☐	領土, 領域	territory

0897 ☐	政治, 政策	politics

0898 ☐	政府	government

0899 ☐	議会	assembly

◆ イタリアの「国会」は Parlamento [男] パルラメント, 日本の「国会」は Dieta [女] ディエータ。

0900 ☐	政党, 党派	political party

◆ 注意：partita [女] は「試合」。

男(固名)	**Giappone**
	ジャッポーネ

女(固名)	**Italia**
	イターリァ

女(固名)	**Europa**
	エウローパ

男複(固名)	**Stati Uniti (d'America)**
	スターティ ウニーティ（ダメーリカ）

女(固名)	**Cina**
	チーナ

男	**territorio**
	テッリトーリォ

女	**politica**
	ポリーティカ

男	**governo**
	ゴヴェルノ

女	**Camera**
	カーメラ

男	**partito**
	パルティート

185

0901 ☐	社会	society

◆「会社」という意味でも使う。

0902 ☐	社会主義	socialism

0903 ☐	共産主義	communism

0904 ☐	資本主義	capitalism

◆ capitale カピターレ は 『女』のとき「首都」，『男』のとき「資本」。

0905 ☐	民主主義	democracy

0906 ☐	憲法	constitution

◆特定の憲法を表す場合，頭文字は大文字。

0907 ☐	法律，法	law

◆ diritto は「権利」や「まっすぐな」『形』という意味でも使う。

0908 ☐	選挙	election

0909 ☐	投票	vote

◆「(学校の) 成績，得点」という意味でも使う。

0910 ☐	候補者 〔男／女〕	candidate

◆「志願者，受験生」という意味でも使う。

女無変 società

ソチェター

男 socialismo

ソチャリーズモ

男 comunismo

コムニーズモ

男 capitalismo

カピタリーズモ

女 democrazia

デモクラツィーア

女 costituzione

コスティトゥツィオーネ

男, 女 diritto, legge

ディリット，レッジェ

女 elezione

エレツィオーネ

男 voto

ヴォート

男/女 candidato / candidata

カンディダート ／ カンディダータ

0911 ☐	大統領，社長	president

◆「社長」の意味で用いる場合は小文字（時に女性に対し presidentessa も用いられる）。

0912 ☐	首相，総理大臣	prime minister, premier

◆ 前者は日本やイギリスなど，後者はイタリアの首相を指す。

0913 ☐	大臣	minister

0914 ☐	市長　〖男／女〗	mayor

0915 ☐	権力	authority, power

◆ 複数形 (le) autorità 〖女複〗で「当局」。 potere は広く「力」を意味する。

0916 ☐	革命	revolution

0917 ☐	独立，自立	independence

0918 ☐	自由	freedom

0919 ☐	現実	reality

0920 ☐	理想（的な）	ideal

	年 月 日		年 月 日		年 月 日	
1	／10	2	／10	3	／10	92 %

男女同	**Presidente**
	プレズィデンテ

男, 男	**primo ministro, Presidente del Consiglio**
	プリモ ミニストロ, プレズィデンテ デル コンスィッリョ

男	**ministro**
	ミニストロ

男／女	**sindaco ／ sindaca**
	スィンダコ ／ スィンダカ

女無変, 男	**autorità, potere**
	アウトリター, ポテーレ

女	**rivoluzione**
	リヴォルツィオーネ

女	**indipendenza**
	インディペンデンツァ

女無変	**libertà**
	リベルター

女無変	**realtà**
	レアルター

男・形	**ideale**
	イデアーレ

0921 ☐	夢	dream

0922 ☐	希望	hope

0923 ☐	絶望	despair

0924 ☐	可能性	possibility

◆ ⇔ impossibilità 【女無変】インポッスィビリター「不可能」。

0925 ☐	努力	effort

0926 ☐	発展	development

0927 ☐	忍耐，我慢	patience

◆ ⇔ impazienza 【女】インパツィエンツァ「短気，焦燥」。paziente 【形】パツィエンテ「忍耐強い」。

0928 ☐	勇気	bravery

0929 ☐	成功	success

0930 ☐	失敗，不成功	failure

◆ fallimento は「破産，倒産」という意味でも使う。

男	sogno
	ソンニョ

女	speranza
	スペランツァ

女	disperazione
	ディスペラツィオーネ

女無変	possibilità
	ポッスィビリター

男	sforzo
	スフォルツォ

男	sviluppo
	ズヴィルッポ

女	pazienza
	パツィエンツァ

男	coraggio
	コラッジョ

男	successo
	スッチェッソ

男, 男	insuccesso, fallimento
	インスッチェッソ， ファッリメント

◀))

094

0931 ☐	幸福	happiness

0932 ☐	運，幸運，財産	fortune

◆ portafortuna〖男無変〗ポルタフォルトゥーナ は「幸運をもたらす物［人・動物］，御守り」。

0933 ☐	不運	misfortune

0934 ☐	危険な	dangerous

◆ pericolo〖男〗ペリーコロ で「危険」。「リスク，危険」は rischio〖男〗リスキォ。

0935 ☐	災害，大惨事	disaster

0936 ☐	洪水	flood

◆ alluvione〖女〗アッルヴィオーネ も用いる。

0937 ☐	台風	typhoon

◆「嵐，暴風雨」は tempesta〖女〗テンペスタ。

0938 ☐	地震	earthquake

◆ terra〖女〗テッラは「大地，地面」，moto〖男〗モート は「動き，運動」。

0939 ☐	火事，火災	fire

◆ fuoco は「火」という意味でも使う。

0940 ☐	消防車	fire engine

◆ pompa〖女〗ポンパ は「ポンプ」。「消火器」は estintore〖男〗エスティントーレ。

女無変	**felicità**
	フェリチター

女	**fortuna**
	フォルトゥーナ

女	**sfortuna**
	スフォルトゥーナ

形	**pericoloso**
	ペリコローゾ

男	**disastro**
	ディザストロ

女	**inondazione**
	イノンダツィオーネ

男	**tifone**
	ティフォーネ

男	**terremoto**
	テッレモート

男, 男	**incendio, fuoco**
	インチェンディオ, フオーコ

女	**autopompa**
	アウトポンパ

0941 ☐	警報	warning

0942 ☐	事故	accident

0943 ☐	テロ	terrorism

◆「テロリスト」は terrorista 〚男女同〛テッロリスタ。

0944 ☐	爆発	explosion

◆「爆弾」は bomba 〚女〛ボンバ。「噴火」は eruzione 〚女〛エルツィオーネ。

0945 ☐	殺人〈行為〉	murder

0946 ☐	犯人，罪人	criminal

◆「有罪の」〚形〛という意味でも使う。「(重)犯罪者」は criminale 〚男女同〛クリミナーレ。

0947 ☐	泥棒〈人〉	thief

◆「泥棒(行為)，窃盗」は furto 〚男〛フルト。

0948 ☐	警察	police

0949 ☐	警察官 〚男／女〛	police officer

◆ poliziotto 「警察の」〚形〛としても用いる(この場合無変化)。

0950 ☐	逮捕	arrest

男 allarme

アッラルメ

男 incidente

インチデンテ

男 terrorismo

テッロリーズモ

女 esplosione

エスプロズィオーネ

男 omicidio

オミチーディオ

男女同 colpevole

コルペーヴォレ

男/女 ladro / ladra

ラードロ / ラードラ

女 polizia

ポリツィーア

男/女 poliziotto / poliziotta

ポリツィオット / ポリツィオッタ

男 arresto

アッレースト

0951 ☐	刑務所	prison

0952 ☐	弁護士　〖男／女〗	lawyer

0953 ☐	検察官，検事　〖男／女〗	prosecutor

◆「裁判官，判事」は giudice 〖男女同〗ジュディチェ。

0954 ☐	裁判所，法廷	court

◆ corte は「宮廷」の意味でも使う。

0955 ☐	無罪の，潔白の	innocent

◆「無罪の人」〖男女同〗という意味でも使う。

0956 ☐	平和	peace

0957 ☐	戦争	war

0958 ☐	軍，軍隊	army

0959 ☐	兵器，武器	weapon

◆「武装解除，軍縮」は disarmo 〖男〗ディザールモ。

0960 ☐	兵士，軍人　〖男／女〗	soldier

女	**prigione**
	プリジョーネ

男/女	**avvocato / avvocatessa**
	アッヴォカート / アッヴォカテッサ

男/女	**procuratore / procuratrice**
	プロクラトーレ / プロクラトリーチェ

男, 女	**tribunale, corte**
	トリブナーレ, コルテ

形	**innocente**
	インノチェンテ

女	**pace**
	パーチェ

女	**guerra**
	グエッラ

男	**esercito**
	エゼルチト

女；女複	**arma；(le) armi**
	アルマ：(レ) アルミ

男/女	**soldato / soldatessa**
	ソルダート / ソルダテッサ

0961 ☐	犠牲者，被災者	victim

0962 ☐	避難民 〖男／女〗	refugee

◆「難民」は profugo／profuga 〖男／女〗プローフゴ／プローフガ。

0963 ☐	貧困，貧乏	poverty

◆「貧しい」は povero 〖形〗ポーヴェロ。

0964 ☐	親切な	kind

0965 ☐	難しい	difficult

0966 ☐	簡単な	easy

◆「簡単な，シンプルな」は semplice 〖形〗センプリチェ。

0967 ☐	円 《図形》	circle

0968 ☐	正方形	square

◆「四角い」〖形〗という意味でも使う。

0969 ☐	三角形	triangle

0970 ☐	長方形	rectangle

女	**vittima**
	ヴィッティマ

男/女	**rifugiato / rifugiata**
	リフジャート / リフジャータ

女無変	**povertà**
	ポヴェルター

形	**gentile**
	ジェンティーレ

形	**difficile**
	ディッフィーチレ

形	**facile**
	ファーチレ

男	**cerchio**
	チェルキォ

男	**quadrato**
	クアドラート

男	**triangolo**
	トリアンゴロ

男	**rettangolo**
	レッタンゴロ

098

0971 ☐	メートル	meter

◆「ミリメートル」は millimetro【男】ミッリーメトロ, 「センチメートル」は centimetro【男】チェンティーメトロ。

0972 ☐	グラム	gram

◆「キログラム」は chilogrammo[chilo]【男[男]】キログランモ[キーロ]。

0973 ☐	リットル	liter

0974 ☐	計算	calculation

0975 ☐	すべて (の), 全部 (の)	all

0976 ☐	多くの, たくさんの, とても	much, many

0977 ☐	長い	long

0978 ☐	短い	short

0979 ☐	重い	heavy

◆「重さ」は peso【男】ペーゾ。

0980 ☐	軽い	light

男	**metro**
	メートロ

男	**grammo**
	グランモ

男	**litro**
	リートロ

男	**calcolo**
	カルコロ

代名・形	**tutto**
	トゥット

形・副	**molto**
	モルト

形	**lungo**
	ルンゴ

形	**corto**
	コルト

形	**pesante**
	ペザンテ

形	**leggero**
	レッジェーロ

0981 ☐	開いている	open

0982 ☐	閉まっている	closed

0983 ☐	速い	fast

◆「スピード，速さ」は velocità 〔女無変〕ヴェロチター。「遅い」は lento 〔形〕レント。

0984 ☐	新しい	new

◆「古い」は vecchio 〔形〕ヴェッキォ。

0985 ☐	(幅が) 広い	wide

◆「(面積が) 広い」は ampio 〔形〕アンピォ，vasto 〔形〕ヴァスト。

0986 ☐	大きい	big, large

◆ grande 〔男女同〕は「大人，成人」の意味でも使う。

0987 ☐	小さい	small, little

◆ piccolo／piccola 〔男／女〕ピッコロ／ピッコラ は「子ども」の意味でも使う。

0988 ☐	かわいい，愛らしい	cute

◆ caro 〔形〕は「愛しい，親愛なる」(「(値段が) 高い」という意味でも使う)。

0989 ☐	明るい，澄んだ	clear

0990 ☐	暗い	dark

形	**aperto**
	アペルト

形	**chiuso**
	キウーゾ

形	**veloce**
	ヴェローチェ

形	**nuovo**
	ヌオーヴォ

形	**largo**
	ラルゴ

形	**grande**
	グランデ

形	**piccolo**
	ピッコロ

形	**carino**
	カリーノ

形	**chiaro**
	キアーロ

形, 形, 形	**scuro, oscuro, buio**
	スクーロ， オスクーロ， ブイオ

0991 ☐	高い	high

◆「高さ」は altezza【女】アルテッツァ。

0992 ☐	低い	low

0993 ☐	強い	strong

◆「強さ，力」は forza【女】フォルツァ。 Forza! で「がんばれ！」。

0994 ☐	弱い	weak

0995 ☐	おいしい	delicious

◆ buono は「良い」という意味。「優れた，素晴らしい」は bravo【形】ブラーヴォ。

0996 ☐	まずい，悪い	bad

◆「悪人」は cattivo／cattiva【男／女】カッティーヴォ／カッティーヴァ。

0997 ☐	しょっぱい	salty

◆「味」は sapore【男】サポーレ。

0998 ☐	辛い〈からい〉	hot

0999 ☐	すっぱい	sour

1000 ☐	苦い，つらい	bitter

形 **alto**

アルト

形 **basso**

バッソ

形 **forte**

フォルテ

形 **debole**

デーボレ

形, 形 **buono, delizioso**

ブオーノ，デリツィオーゾ

形 **cattivo**

カッティーヴォ

形 **salato**

サラート

形 **piccante**

ピッカンテ

形, 形 **acido, aspro**

アーチド，アスプロ

形 **amaro**

アマーロ

●月と曜日，時の言い方●

101

1月	男	gennaio	ジェンナイオ
2月	男	febbraio	フェッブライオ
3月	男	marzo	マルツォ
4月	男	aprile	アプリーレ
5月	男	maggio	マッジョ
6月	男	giugno	ジュンニョ
7月	男	luglio	ルーリオ
8月	男	agosto	アゴースト
9月	男	settembre	セッテンブレ
10月	男	ottobre	オットーブレ
11月	男	novembre	ノヴェンブレ
12月	男	dicembre	ディチェンブレ

★「週末」を除き，すべて副詞句としても用いられる。

103

先月	il mese 男 scorso, lo scorso mese 男 イル メーゼ スコルソ，ロ スコルソ メーゼ
来月	il mese 男 prossimo, il prossimo mese 男 イル メーゼ プロッスィモ，イル プロッスィモ メーゼ
来年	l'anno 男 prossimo, il prossimo anno 男 ランノ プロッスィモ，イル プロッスィモ アンノ
毎日	ogni giorno 男, tutti i giorni 男複 オンニ ジョルノ，トゥッティ イ ジョルニ
毎月	ogni mese 男, tutti i mesi 男複 オンニ メーゼ，トゥッティ イ メーズィ
毎年	ogni anno 男, tutti gli anni 男複 オンニ アンノ，トゥッティ リ アンニ

月曜日	男無変	lunedì	ルネディー
火曜日	男無変	martedì	マルテディー
水曜日	男無変	mercoledì	メルコレディー
木曜日	男無変	giovedì	ジョヴェディー
金曜日	男無変	venerdì	ヴェネルディー
土曜日	男	sabato	サーバト
日曜日	女	domenica	ドメーニカ

今週	questa settimana ✱ クエスタ セッティマーナ
先週	la settimana ✱ scorsa, la scorsa settimana ✱ ラ セッティマーナ スコルサ，ラ スコルサ セッティマーナ
来週	la settimana ✱ prossima, la prossima settimana ✱ ラ セッティマーナ プロッスィマ，ラ プロッスィマ セッティマーナ
週末★	fine settimana [finesettimana] 男無変, weekend 男無変 フィーネ セッティマーナ，ウィーケンドゥ
今月	questo mese 男 クエスト メーゼ
今年	quest'anno 男 クエスタンノ
昨年	l'anno 男 scorso, lo scorso anno 男 ランノ スコルソ，ロ スコルソ アンノ
昨晩	ieri sera ✱ イエーリ セーラ
毎朝	ogni mattina ✱, tutte le mattine 女複 オンニ マッティーナ，トゥッテ レ マッティーネ

105

●数字の言い方●

0	zero	ゼーロ
1	uno／una	男 ウーノ ／ 女 ウーナ
2	due	ドゥーエ
3	tre	トレ
4	quattro	クアットロ
5	cinque	チンクエ
6	sei	セイ
7	sette	セッテ
8	otto	オット
9	nove	ノーヴェ
10	dieci	ディエーチ
11	undici	ウンディチ
12	dodici	ドーディチ
13	tredici	トレーディチ
14	quattordici	クアットールディチ
15	quindici	クインディチ
16	sedici	セーディチ
17	diciassette	ディチャッセッテ
18	diciotto	ディチョット
19	diciannove	ディチャンノーヴェ
20	venti	ヴェンティ
21	ventuno	ヴェントゥーノ

30	trenta	トレンタ
40	quaranta	クアランタ
50	cinquanta	チンクアンタ
60	sessanta	セッサンタ
70	settanta	セッタンタ
80	ottanta	オッタンタ
90	novanta	ノヴァンタ
100	cento	チェント
200	duecento	ドゥエチェント
300	trecento	トレチェント
400	quattrocento	クアットロチェント
500	cinquecento	チンクエチェント
600	seicento	セイチェント
700	settecento	セッテチェント
800	ottocento	オットチェント
900	novecento	ノヴェチェント
1000	mille	ミッレ
1万	diecimila	ディエチミーラ
10万	centomila	チェントミーラ
100万	un milione	ウン ミリオーネ
1000万	dieci milioni	ディエーチ ミリオーニ
1億	cento milioni	チェント ミリオーニ
10億	un miliardo	ウン ミリァルド

● 名詞の性数と定冠詞・不定冠詞・形容詞 ●

名詞の前につく**冠詞**，および名詞を修飾する**形容詞**は，
かかる名詞の性と数（男女単複）にあわせて形を変えます。

名詞の基本的な形

男性名詞の語尾	単数	-o	-e	(-a)	**女性名詞**の語尾	単数	-a	-e
	複数	-i	-i	(-i)		複数	-e	-i

男女同形（本書では〔男女同〕と示す）・単複同形（本書では〔無変〕）の名詞もあるが，
冠詞・形容詞は名詞の性数にあわせて変化する。

定冠詞と不定冠詞の変化

	男性単数	il ※1	**女性**単数	la (l')
定冠詞	複数	i ※2	複数	le
不定冠詞	**男性**単数	un ※3	**女性**単数	una (un')

※1 例外：**l'**（母音の前），**lo**（s＋子音，z, gn, pn, ps, x, y の前）
※2 例外：**gli**（母音，s＋子音，z, gn, pn, ps, x, y の前）
※3 例外：**uno**（s＋子音，z, gn, pn, ps, x, y の前）

形容詞の語尾変化の基本

基本形	修飾する名詞の形	**男性**名詞を修飾	**女性**名詞を修飾
語尾 **-o** の形容詞	単数	-o	-a
	複数	-i	-e
語尾 **-co**, **-go** の形容詞	単数	-co／-go	-ca／-ga
	複数	-chi／-ghi	-che／-ghe
語尾 **-e** の形容詞	単数	-e	-e
	複数	-i	-i

例： 〔男〕vino bian**co**「白ワイン」 〔女〕camicia bian**ca**「白いシャツ」
〔男複〕capelli bian**chi**「白髪」 〔女複〕scarpe bian**che**「白い靴」

●索引●

211

【イタリア語校正】

　佐藤 德和

【音声吹き込み】

　Maccari Laura

© Goken Co.,Ltd., 2024, Printed in Japan

厳選イタリア語日常単語

2024 年 9 月 5 日　初版第 1 刷発行

編　者　語研編集部
制　作　ツディブックス株式会社
発行者　田中 稔
発行所　株式会社 語研
　　　　〒 101-0064
　　　　東京都千代田区神田猿楽町 2-7-17
　　　　電　話 03-3291-3986
　　　　ファクス 03-3291-6749
組　版　ツディブックス株式会社
印刷・製本　倉敷印刷株式会社

ISBN978-4-87615-441-8 C0087
書名　ゲンセンイタリアゴニチジョウタンゴ
編者　ゴケンヘンシュウブ

定価：本体 1,800 円＋税（10%）［税込定価 1,980 円］
乱丁本，落丁本はお取り替えいたします。

株式会社語研
語研ホームページ https://www.goken-net.co.jp/

本書の感想は
スマホから↓